Petites leçons
de culture générale

PAR

Eric Cobast

Agrégé de l'Université
Professeur de littérature dans les classes de Lettres supérieures
du lycée Madeleine Daniélou (Rueil)
et de Culture générale à l'Ipesup-Prépasup

3ᵉ édition

Presses Universitaires de France

COLLECTION MAJOR

DIRIGÉE PAR
PASCAL GAUCHON

DU MÊME AUTEUR

Leçons particulières de culture générale, coll. « Major », PUF.
Premières leçons sur Candide, coll. « Major Bac », PUF.
Mémento du bachelier, coll. « Major Bac », PUF.
Les dieux antiques de Stéphane Mallarmé, coll. « Major », PUF.

ISBN 2 13 046618 4
ISSN 1242-4935

Dépôt légal — 1re édition : 1994, juin
3e édition : 1997, mai

Sommaire

Introduction

Présentées selon l'ordre alphabétique des thèmes qu'elles abordent, ces « petites leçons particulières » se veulent à la fois autant **d'initiations** aux questions que soulève notre modernité et des **instruments de révision commodes** pour ces oraux de « Culture générale » que de nombreux concours inscrivent à leurs programmes. Elles s'adressent donc à l' « homme pressé » et curieux comme à l'étudiant qui cherche à gagner du temps. L'un et l'autre pourront en effet trouver ici des éléments destinés à stimuler une réflexion plutôt qu'à la conduire. C'est dans cette perspective que chacune de ces « petites leçons » est articulée selon quatre « **moments** ».

On lira sous la rubrique **Définir** une approche étymologique et historique du concept étudié. Il s'agit simplement de montrer qu'une analyse précise de la substance sémantique d'un mot ouvre à l'exercice de problématisation. Ensuite la section **Composer** proposera un rapide développement d'une question qui se donne sous la forme d'une esquisse de dissertation. La définition d'un terme conduit naturellement au questionnement. **Approfondir** suggérera une lecture détaillée d'une œuvre philosophique déterminée, présentée exclusivement dans l'optique du thème étudié. Pour composer cette « petite bibliothèque » de base nous ne nous sommes interdits aucune direction, suggérant autant de revenir à l'étude des « grands textes » qu'à celle d'essais contemporains qui nous ont paru particulièrement éclairants. Qu'on ne soit donc pas surpris de découvrir Aristote côtoyer par exemple Luc Ferry ou Alain Finkielkraut. Enfin, **Actualiser** recherche dans notre quotidien des motifs d' « étonnement » philosophique qui illustrent, si besoin était, l'idée selon laquelle ces réflexions auxquelles nous ont convié nos études sont bien vivantes. **Définir, Composer, Approfondir, Actualiser,** la déclinaison veut ouvrir le plus largement possible la curiosité du lecteur, condition nécessaire à une approche « scolaire » ou simplement « libérale » de cette discipline que l'on ne s'offusque désormais plus de désigner sous l'expresion de « Culture générale ».

D é f i n i r

Le pouvoir de s'imposer

Quoi de plus difficile à cerner que les raisons de l'ascendant qu'un homme sait exercer sur d'autres hommes ?

Dans *La crise de la culture* H. Arendt manifeste d'ailleurs son embarras :

> « S'il faut vraiment définir l'autorité, alors ce doit être en l'opposant à la fois à la contrainte par la force et à la persuasion par arguments. »

Il y a en effet quelque chose qui résiste à l'analyse lorsqu'il s'agit de définir cette forme de pouvoir qui requiert l'obéissance en même temps qu'elle exclut violence et persuasion. Ce n'est pas faire preuve d'autorité que de s'imposer par la menace ou bien de conduire son interlocuteur à la Raison. L'autorité demande à qui s'y soumet de le faire volontairement et indépendamment de toute forme de calcul. De fait, l'*auctoritas* ne peut émaner que de celui que l'on reconnaît comme *auctor,* celui qui soutient et permet de se développer (*augere :* augmenter, faire croître, en latin). L'autorité est bien une force que celui qui l'accepte reconnaît comme indispensable à son épanouissement : ne dit-on pas « je m'en remets à votre autorité » pour signifier « je réclame de vous protection » ?

Composer

Le pouvoir politique peut-il se défaire d'une Autorité de référence ?

▶ **Dès l'Antiquité...**

SPQR, lit-on sur les aigles romaines : *Senatu Populoque Romano,* « Au nom du Peuple et du Sénat de Rome ». La formule ne laisse pas d'être frappée, pour le regard du moderne, du sceau de l'équivocité : comment peut-on parler d'une même voix au nom de l'ensemble des Romains et d'une minorité de privilégiés ? De fait, Rome qui n'a quasiment jamais cessé de se revendiquer républicaine brouille-t-elle nos repères : Qui gouverne ? Qui détient le pouvoir ? Le Peuple ? Le Sénat ? L'Empereur ? Dans *De legibus,* Ciceron s'efforce de préciser la répartition des rôles :

> *Cum potestas in populo auctoritas in senatu sit.*

« Tandis que le pouvoir réside dans le peuple, l'autorité appartient au Sénat. » H. Arendt dans *La crise de la culture* relève la citation pour déterminer, non pas la spécificité de la vie publique à Rome, mais la nature de l'autorité, définie ainsi par opposition au pouvoir.

▶ **... le pouvoir cherche à s'adosser à l'Autorité...**

Ce que Ciceron constate, c'est que l'autorité — au contraire du pouvoir — a des racines dans le passé. Qui sont en effet les Sénateurs ? Les latins les nomment « Pères conscrits » *(Patres conscripti),* ce sont les « Pères » de la Cité, ceux qui descendent des fondateurs de Rome et qui apparaissent comme l'instance même de la sacralité placée ainsi au cœur de l'activité politique. Car les sénateurs débattent et donnent des avis qui sont davantage que des conseils moins que des ordres. Parce qu'ils participent du caractère sacré de la Fondation, les sénateurs sont détenteurs de cette autorité charismatique dont le peuple a besoin et à laquelle le pouvoir politique s'adosse.

▶ **... pour se doter d'une dimension sacrée.**

De fait, le Sage est l'homme d'autorité dont l'homme de pouvoir se réclame et que celui-ci « produit » lorsqu'il fait défaut, tant la politique semble ne pouvoir se passer de l'idée d'Autorité. En effet, parce que notre Sénat manque de hauteur (les sénateurs sont désignés par un suffrage, même si son caractère indirect paraît lui retirer de sa légitimité démocratique) nos politiques paraissent avoir un besoin de créer une nouvelle catégorie administrative, totalement indépendante du pouvoir : l'**Autorité administrative indépendante.** Ce sont la Commission de opérations de Bourse (1968) ou le Conseil supérieur de l'audiovisuel (1989) dont l'ancêtre portait un nom plus évocateur (Haute Autorité de la Commission audiovisuelle).

Quel intérêt le pouvoir politique trouve-t-il à se mettre lui-même à l'écart ? La réponse est peut-être à trouver dans ce contact au sacré que lui apporte toute instance de l'Autorité. Comme si la politique n'en finissait pas de nous dire sa nature irrationnelle.

A p p r o f o n d i r

Le métier et la vocation d'homme politique

MAX WEBER (1919)

Max Weber commence par rappeler quel rôle joue l'Etat moderne :

> « ... il faut concevoir l'Etat contemporain comme une communauté humaine qui, dans les limites d'un territoire déterminé revendique avec succès pour son propre compte le monopole de la violence physique légitime. »

Ce monopole fait de l'Etat l'instrument indispensable de ceux qui visent la détention du pouvoir politique. En ce sens, l'analyse de Weber prolonge celle des marxistes, voire elle la radicalise puisque le politologue allemand ne craint pas de faire de la domination la seule raison d'être de l'Etat :

> « L'Etat ne peut exister qu'à la condition que les hommes dominés se soumettent à l'autorité revendiquée chaque fois par les dominateurs. »

Pas de pouvoir politique sans le contrôle de l'appareil d'Etat, mais pas d'Etat sans la soumission des uns à l'autorité des autres. En un mot, Weber prend soin de distinguer le pouvoir politique de l'autorité, condition nécessaire à l'existence de l'Etat, c'est-à-dire à l'exercice du pouvoir politique, précisément. Pour penser le Pouvoir, il faut d'abord penser l'autorité.

Il existe, selon Weber, trois moyens grâce auxquels les hommes peuvent **imposer leur domination, la rendre légitime.**

Tout d'abord la **tradition.** L'habitude, les coutumes, cet « éternel hier », « pouvoir traditionnel » qu'exercent les féodaux. En second lieu, Weber insiste sur l'autorité que fonde la grâce personnelle d'un individu, le **charisme :**

> « Elle se caractérise par le dévouement tout personnel des sujets à la cause d'un homme et par leur confiance en sa seule personne en tant qu'elle se singularise par des qualités prodigieuses... »

L'autorité charismatique donne à la domination politique de celui qui en est investi une dimension irrationnelle. L'autorité garante du pouvoir adosse la politique au sacré.

Enfin la **légalité** apparaît comme le troisième moyen par lequel les gouvernants s'imposent aux gouvernés. Elle repose sur la croyance en la validité d'un « statut légal » du pouvoir (c'est sur cette croyance que s'est développé l'Etat moderne).

A c t u a l i s e r

La soumission à l'autorité, jusqu'où ?

Eichmann est-il kantien ?

Le responsable nazi de l'extermination des juifs ne s'est pas contenté, lors de son procès à Jérusalem, d'un cynique « Ce n'est pas ma faute ». Sa défense était argumentée, selon le principe qu'expose E. Kant dans *La métaphysique des mœurs.* Parce qu'il n'a fait que se soumettre à l'autorité de la loi, dont il n'avait pas à juger de la justice ou de l'injustice, Eichmann prétend avoir agi sans contradiction avec la loi morale et se déclare en paix avec sa conscience (Kant refuse tout droit à l'insurrection par respect exigé de la loi). Ce discours que commente H. Arendt dans *Eichmann à Jérusalem* et qui ressemble évidemment à celui de tous les tortionnaires (« nous n'avons fait que notre devoir d'obéissance ») invite à s'interroger sur les conséquences d'un tel principe de soumission à l'autorité.

Eichmann est-il sincère? Les crimes qu'il a ordonnés auraient-ils pu l'être par d'autres? Evidemment la violence guerrière des hommes, acceptée, commise au nom de ce principe de soumission à l'autorité invite toujours à s'interroger sur la nature de ce qui ressemble clairement à une disposition naturelle.

Stanley Milgram, il y a quelques années aux Etats-Unis, s'est essayé à évaluer une telle disposition. Pour ce faire, l'universitaire américain organise une simulation d'expérience scientifique. Prétextant un travail sur la mémoire et souhaitant tester si celle-ci est plus réceptive lorsque le corps reçoit une punition pour chaque erreur, Milgram « monte » une fausse expérience, avec de faux médecins, de faux cobayes mais de vrais expérimentateurs. Un comédien, en blouse blanche, joue le rôle du scientifique, il explique à un volontaire, recruté par annonce, qu'il lui faut envoyer une décharge électrique à un cobaye, un autre comédien, lorsque celui-ci se trompe au cours d'un exercice de mémorisation. Chaque décharge est plus importante que la précédente.

Il s'agit donc de définir jusqu'où un homme peut infliger une décharge électrique à un autre homme qu'il ne connaît pas, qui ne lui a fait aucun mal, et cela par seule soumission à l'autorité d'un scientifique qui le lui ordonne.

Le scénario est extrêmement élaboré puisque l'acteur-cobaye ne cesse de se tromper, qu'il mime la douleur supposée que provoqueraient les décharges successives et qu'à 150 volts il se met à supplier l'expérimentateur de cesser l'expérience. L'acteur-scientifique ordonne, de son côté, la poursuite du processus. Combien de volontaires-expérimentateurs, ignorants évidemment du scénario, ont obéi aux ordres du pseudo-savant?

Le résultat du travail de Milgram est éloquent : 60 % des participants ont infligé au pseudo-cobaye le choc maximal et mortel de 450 volts.

« Le processus d'adaptation de pensée — commente Milgram — le plus courant chez le sujet obéissant est cet abandon de toute responsabilité personnelle : il attribue l'entière initiative de ses actes au scientifique qui représente l'autorité légitime.

« (...)

« La disparition du sens de la responsabilité personnelle est de très loin la conséquence la plus grave de la soumission à l'autorité. »

Alors, 60 % d'Eichmann parmi nous..., ou plus encore?

Banlieue

Hors contrôle

La banlieue, c'est au Moyen Age la « lieue du ban », la distance à laquelle s'étendait le ban seigneurial. La banlieue désignait par conséquent cette limite au-delà de laquelle la convocation — le ban — des vassaux pour la guerre ne pouvait avoir de portée. Conformément à l'étymologie et à l'histoire, la banlieue devrait être à la fois une frontière et un espace contrôlé par le pouvoir central. C'est la périphérie du cercle qui n'existe que par le centre même de la figure.

Or aujourd'hui la banlieue désigne volontiers un lieu, toujours périphérique évidemment, mais que tout oppose au centre-ville, un espace hors contrôle précisément inquiétant, voire menaçant. Cette évolution est, en France, le résultat de la conquête du centre des villes par les classes dites dominantes au détriment des classes populaires jugées dangereuses. Car longtemps le centre des villes est demeuré populaire. C'est dans les rues de Paris que le Peuple manifeste son mécontentement, qu'il prend au XIXe siècle l'habitude de dresser des barricades comme pour marquer son territoire. On sait que Napoléon III et le baron Haussmann eurent à cœur de réduire ce Paris-là, par le tracé de vastes boulevards et l'édification de monuments spacieux (le palais Garnier, par exemple). Après la Commune, le Paris populaire est définitivement aboli; commence alors un lent exode vers la périphérie qui se poursuit encore aujourd'hui. Plus généralement la politique dite de « réhabilitation » des centres-villes qui se développe en France depuis quelques années aboutit, sous le couvert de la rénovation des quartiers les plus vétustes — parce que souvent « historiques » —, à expulser vers la banlieue les locataires les moins nantis au profit de ceux qui peuvent désormais s'offrir le luxe d'être « au centre ».

Composer

La ville est-elle un lieu de résidence ou de passage ?

► **L'ambivalence de la ville...**

Dans l'imaginaire collectif, Babylone fut longtemps la représentation acceptée de la Ville : un joyau aux séductions dangereuses. Cette ancienne ville de Mésopotamie au nom prédestiné (*Bablli,* « la porte du dieu ») fut en effet un modèle de civilisation dont les Anciens retenaient particulièrement les « jardins suspendus », septième merveille du Monde. Pourtant, Babylone, *Babel* dans la *Bible,* vient rejoindre la liste des villes blâmées par Dieu : celui-ci, parce que les hommes ont voulu construire une tour plus haute que les cieux, introduit dans l'édifice la diversité des langues. Le symbole est riche : c'est la diversité et l'ambition qu'abrite la ville qui constituent sa ruine. Le mythe de la Cité attirante mais dangereuse est fondé.

Or la ville moderne est la réplique de la ville biblique. Attirante par toutes les possibilités qu'elle offre, elle fait aussi fuir à la fin de chaque semaine les citadins qui prétendent au calme retrouvé de la campagne. Ce double exode rend compte des ambiguïtés de la ville, il permet aussi de penser quelle est désormais sa véritable nature.

► **... fait d'elle un lieu de passage...**

A la ville du passé, encerclée par ses murailles, se substitue à présent la ville sans limites. Le vieux Paris qu'on reconnaît aux vestiges des portes qui le protégeaient n'est plus qu'un noyau minuscule enfoui dans la ceinture qui s'est peu à peu élargie autour de lui. De même Rome, autrefois ville protégée par les sept collines et le *poemerium* tracé par Romulus, est devenu « Rome, ville ouverte », ouverte à tous, à tous les fantasmes, accueillant les privilégiés de la *Dolce vita* comme les « voleurs de bicyclettes ».

Mais si elle accueille, elle cloisonne également : la ville s'est ouverte mais ses quartiers et ses banlieues deviennent des ghettos. Elle devient alors un magnifique magasin à la vitrine transparente : on ne peut pas acheter, alors on « passe », pour regarder. Le gigantesque trou des Halles, percé en plein centre de Paris, en est l'illustration : un labyrinthe de couloirs où chacun court à ce qu'il désire. La ville se fait alors « lieu de passage », à l'instar des nœuds routiers qui la traversent : on y est jamais que locataire ou bien sans domicile fixe.

▶ **... et de violence.**

Le berceau de la civilisation le cède alors à la jungle urbaine : la ville où l'on ne fait jamais que passer cesse d'être accueillante, les grands ensembles cachent derrière une promiscuité involontaire la solitude et l'indifférence, voire la plus spontanée des violences.

La fascination exercée, par exemple, par la ville de New York sur Camus, Céline ou Sartre est liée incontestablement à l'hostilité paradoxale du milieu urbain. Sartre note ainsi qu'au cœur de Manhattan surgit « la nature la plus cruelle ». Les buildings sont comparés à de « gigantesques arbres » et les hommes à des « loups ».

A p p r o f o n d i r

La fille aux yeux d'or
HONORÉ DE BALZAC (1815)

« Là, tout fume, tout brûle, tout brille, tout bouillonne, tout flambe, s'évapore, s'éteint, se rallume, étincelle, pétille et se consume. »

« Là », c'est Paris, la Capitale telle que la décrit Balzac dans les premières pages d'un court et envoûtant roman, vénéneux à souhait, imprégné encore de vapeurs gothiques. La ville y est dépeinte comme un enfer moderne, peuplé d'individus qui semblent n'avoir le choix qu'entre une « jeunesse blafarde et sans couleur » et une « caducité fardée qui veut paraître jeune ». Car la vie des Parisiens se consume plus rapidement qu'ailleurs, tant les trépidations du désir sont violentes. Une véritable fournaise pour les passions :

« Jamais vie en aucun pays ne fut plus ardente, ni plus cuisante. »

Tout est feu et flamme, mais rien n'est mieux structuré : l'Enfer ce n'est pas le chaos, il a ses cercles et la visite à laquelle Balzac convie son lecteur se doit d'être guidée :

> « Nous voici donc amenés au troisième cercle de cet enfer, qui, peut-être un jour aura son Dante. »

Au lieu de cercles, ce sont des « sphères » que le romancier-sociologue découvre l'une après l'autre, de la plus basse, la plus fangeuse, aux plus hautes qui ne sont pas moins corrompues. Car si les Parisiens vivent dans des mondes parallèles, ils ont en commun de vivre à Paris, précisément, dont l'atmosphère n'épargne personne.

De longues pages hallucinées servent donc de préambule à un roman qui paraît alors comme une émanation de la ville elle-même, elles fondent également, alors que le romancier n'a pas encore conçu le projet d'articuler l'ensemble de son œuvre autour de l'idée d'une *Comédie humaine,* le mythe de Paris, Babylone des Temps modernes.

De fait, là s'invente un autre regard porté sur la ville et dont hérite partiellement notre imaginaire lorsqu'il se laisse affoler par la représentation de la sauvagerie des banlieues. Les quartiers borgnes et crapuleux de Balzac annoncent en effet à bien des égards, les Cités qui servent de décor à nos faits divers ordinaires. La ville devient une jungle : si Paris, « pacifié » d'abord par les aménagements du baron Haussmann puis par la répression de Thiers au lendemain de la Commune, ne répond plus à cette définition, nos banlieues le deviennent à leur tour, surpeuplées et sulfureuses de délinquance. A la suite de Balzac, le Dumas des *Mohicans de Paris* et le Féval des *Mystères de Paris* feront de la ville le décor indispensable aux récits les plus sombres. Paris fut sous leur plume ce que sont aujourd'hui les banlieues telles que les montrent les medias : un espace hors contrôle peuplé « d'Indiens ».

Actualiser

Classes trop peu laborieuses, zones dangereuses...

Le XIXe siècle avait identifié ces « classes laborieuses » installées au cœur des grandes villes comme des « classes dangereuses »... Le XXIe siècle fera-t-il des **classes trop peu laborieuses** que composent exclus, chômeurs, immigrés clandestins les nouveaux résidants de « zones dangereuses », en banlieue « à risques », à la périphérie des Cités ?

Ces lieux naguère de dépôt d'une population occupée à travailler « ailleurs » ne deviennent-ils pas particulièrement difficiles à vivre sitôt qu'on est contraint précisément d'y vivre et non plus d'y dormir ? Bref, la « banlieue-dortoir » était déjà un concept discutable et peu attractif... Qu'en penser quand le « dortoir » est transformé en « vivarium » ? Or cette banlieue d'un autre type, la « banlieue réservoir » (on pourrait aussi réanimer le mot « réserve » dans le sens « indien » du terme !), progresse : plus 8 % en population, entre 1982 et 1990. Qui à présent y vit et s'installe dans ce que le « Journal télévisé » montre comme l'Invivable ?

C'est une population jeune : 32,9 % ont moins de vingt ans. Le pourcentage d'étrangers y est plus élevé qu'ailleurs (18 % contre 6 % pour l'ensemble du territoire national). Les chômeurs y sont plus nombreux (20 % de la population), plus jeunes et demeurent sans emploi plus longtemps. On le conçoit, cette banlieue-là n'a plus rien à voir avec le pittoresque réconfortant des cités ouvrières pavillonnaires de la périphérie nord de Paris dans les années cinquante, celui qui traverse le roman de Céline, *Mort à crédit,* par exemple.

Associée à la violence, liée à la drogue, cette Banlieue Nouvelle ressemble davantage à l'image que nous renvoient Los Angeles, New York ou Washington. Elle est le lieu de tous les dangers, pas seulement pour celui qui s'y égare (comme le héros du *Bûcher des vanités* de Tom Wolff) mais aussi pour tous ceux qui y vivent (comme le rappelle le jeune cinéma « black » aux Etats-Unis. Cf. *Boys'in the Hood*). Le nouveau code de procédure pénale le confirme qui établit avec sévérité des peines « dissuasives » pour une délinquance spécifiquement urbaine. Le tag est ainsi puni d'une amende de 25 000 à 500 000 F, selon la nature de l'édifice détérioré (art. 322-1 et s.) assortie de peines de prison pouvant aller jusqu'à cinq ans fermes. Le squatt, le racket et la mendicité se trouvent également « réévalués ». A noter qu'il est désormais plus grave de voler dans le métro et le RER que dans un magasin. Le vol est en effet passible de cinq ans de prison et de 500 000 F d'amende « lorsqu'il est commis dans un véhicule affecté au transport collectif de voyageurs ou dans un lieu destiné à l'accès » (art. 311-4).

D é f i n i r

Un horizon intérieur

Qui ne désire être heureux ? Le bonheur — étymologiquement la « bonne fortune » (*augurium* en latin donne en ancien français *heur, chance*) —, quête individuelle et/ou collective, alimente le cours de l'Histoire comme le rêve des artistes, l'inspiration des scientifiques ou l'ambition des hommes d'Etat. Mais peut-on effectivement le définir indépendamment de la quête dont il fait précisément l'objet ? Le bonheur est-il autre chose que cette ligne de fuite destinée à nous faire courir dans le pré du poète ?

De fait, dans *Les fondements de la métaphysique des mœurs*, Kant montre à quel point l'idée de bonheur est un horizon pour l'imaginaire :

> « Le concept du bonheur est un concept si indéterminé que, malgré le désir qu'a tout homme d'arriver à être heureux, personne ne peut jamais dire en termes précis et cohérents ce que véritablement il désire... Le bonheur est un idéal, non de la raison, mais de l'imagination. »

Qu'il prenne la forme d'une impossible satisfaction de tous nos désirs, ou bien celle de l'improbable extinction *(Nirvâna)* de ceux-ci, le Bonheur n'est-il jamais autre chose qu'un horizon intérieur ?

Composer

Peut-on faire le bonheur du Peuple ?

▶ **Pour forcer la chance...**

« Le Bonheur est une idée neuve en Europe ! » annonce Saint-Just. Voilà qui semble à la fois naïf et fort présomptueux, car l'Europe à l'évidence n'a pas attendu le Comité de Salut public pour concevoir que la vie pouvait être heureuse ! Les tableaux de Fragonard et le sourire de Diderot montrent que le siècle à son début savait célébrer une douceur et un plaisir de vivre que la tourmente révolutionnaire va dissiper.

Saint-Just pourtant n'a pas tort, c'est le bonheur collectif qui est bien une idée politique nouvelle. Que plus personne désormais ne soit abandonné par l'État à la mauvaise chance...

Car l'étymologie le rappelle, le bonheur, c'est la bonne chance, la faveur du hasard qui se manifeste dès la naissance. Cette prise de conscience que le hasard règle et dérègle de la manière la plus injuste et la moins rationnelle (le hasard est l'autre nom de l'absence de finalité) la carrière de chacun, transparaît de façon saisissante à quelques années de l'explosion révolutionnaire dans *Le mariage de Figaro*. A l'acte V, Beaumarchais met en scène son personnage accablé par ce qu'il croit être l'infidélité de Suzanne, sa fiancée ; il compare alors sa destinée à celle du comte, son rival :

> « Parce que vous êtes un grand seigneur, vous vous croyez un grand génie !... Noblesse, fortune, un rang, des places, tout cela rend si fier ! Qu'avez-vous fait pour tant de biens ? Vous vous êtes donné la peine de naître, et rien de plus... »

▶ **... il faut imposer l'égalité, mais est-ce possible ?**

Le Bonheur commence avec la réduction des inégalités, c'est-à-dire la réalisation de l'égalité civile. Les privilégiés sont-ils disposés à ne plus l'être ? Renonceront-ils, guidés par le souci du Bien collectif, à l'exercice d'une domination que leur confère la bonne fortune de leur naissance ? La question ne se pose pas seulement en 1789.

Ainsi la société qui trouve son bonheur dans l'égalité ne peut surgir que de celle qui faisait de l'inégalité le principe moteur de son développement. Comment effectuer le passage de l'une à l'autre ? Saint-Just répond par la Révolution (cf. **Révolution**), c'est-à-dire la fondation dans la violence d'un ordre absolument nouveau. Car **l'égalité politique est bien une nouveauté,** au sens où elle n'a pas de précédent. Mais l'institution de la nouveauté est-elle possible ? Du passé pouvons-nous absolument faire table rase ?

Ce n'est pas un effet du hasard si Thomas More imagine la société de l'égalité détachée de tout passé mais aussi de toute réalité géographique. Il invente un certain Utopus, conquérant et maître du pays d'Abraxa, qui aurait pris pour précaution première, avant de créer la nouvelle société, de faire d'Abraxa une île :

> « Dès que la victoire l'eut rendu maître de ce pays, il fit couper un isthme de quinze mille pas, qui le joignait au continent ; et la terre d'Abraxa devint ainsi l'île d'Utopie. »

Pour vivre heureux, vivons alors détachés. Le politique ne pourrait-il faire le bonheur de son peuple qu'en l'isolant, en le séparant des autres et de lui-même (par le refus du passé) ?

A p p r o f o n d i r

Propos sur le Bonheur
ALAIN (1928)

« Les sages d'autrefois cherchaient le bonheur — écrit Alain aux dernières pages des *Propos sur le Bonheur* ; non pas le bonheur du voisin, mais leur bonheur propre. » Ces propos sur le bonheur, rédigés au cours des vingt premières années du siècle, sont ainsi un véritable hommage rendu à la sagesse antique, celle des stoïciens, explicitement convoquée, mais surtout celle des disciples d'Epicure, jamais citée, à chaque ligne présente.

A l'instar de ces maîtres anciens, Alain ignore la dimension collective du bonheur. Celui-ci reste l'**affaire du petit nombre d'intimes qui composent la famille et la société des amis.**

Une succession de rapides chapitres reprend les *topoï,* les lieux communs, de la philosophie hellénistique : les passions, l'imagination, le jeu, l'action, la mélancolie. La recherche du bonheur commence par une cure : se soigner des passions violentes, régler ses désirs sur la nécessité (« C'est un grand art quelquefois de vouloir ce que l'on est assuré de désirer »). Elle se poursuit dans le repli rassurant sur la dimension privée de la vie sociale. Le bonheur n'appartient qu'à ceux qui savent en limiter l'étendue des manifestations au périmètre de leur jardin. De fait, Alain s'inscrit dans une tradition voltairienne, celle du jardin dont la culture rend heureux. Le chapitre intitulé « Heureux agriculteurs » répond au chapitre trente de *Candide :*

> « L'agriculture est donc le plus agréable des travaux, dès que l'on cultive son propre champ. »

Evidemment « la petite terre rapporta beaucoup »...

Le bonheur se trouve donc dans le souci de soi, dans le soin accordé à l'environnement immédiat, dans le travail et la simplicité... Egalement dans la mesure. Alain abhorre l'excès. Rien n'est bon quand il est excessif. L'excès, c'est l'impolitesse, la marque d'une animalité qui exclut, qui retire à celui qui le manifeste l'appartenance à une communauté (dans la politesse, on peut entendre encore la racine *polis,* la Cité) :

> « Tout ce qui sent le brutal et l'emporté est impoli ; les signes suffisent ; la menace suffit (...) Un homme impoli est encore impoli quand il est seul. »

Le Bonheur pour Alain est bien celui d'Epicure, il est du côté de la volupté mesurée du partage entre amis.

L'indifférence au bien-être collectif porte aussi la **marque du philosophe du jardin.** Le repli sur la sphère privée annonce toute la faillite de l'Histoire. Ces propos sur le bonheur sont également ceux d'un homme que le siècle débutant trahit. Le chaos de la Première Guerre mondiale vaut celui que traverse Candide. Quand la civilisation n'est plus que ruines, que faire sinon cultiver son jardin !

Actualiser

La société de consommation ne fait plus le bonheur du hérisson

La société de consommation ne fait plus rêver personne !
Les sociologues l'affirment, les spécialistes du marketing le constatent : la crise a fait naître un consommateur d'un nouveau

type. Il se méfie, il compare, il recherche de façon empirique le meilleur rapport qualité-prix, il vérifie et se défie des marques comme des messages publicitaires. Ce consommateur récalcitrant, averti, presque sur la défensive lorsqu'il lui faut consommer, porte déjà un nom de guerre : le hérisson.

Son apparition témoigne peut-être d'une évolution profonde de la société occidentale qui fit de l'offre, de la demande et de la création sans cesse renouvelée des besoins le moteur de sa prospérité. C'est que le hérisson, parce qu'il refuse de se laisser séduire, attirer, conduire d'une vitrine à l'autre, manifeste aussi son rejet et sa peur de tout ce qui lui est proposé, donc extérieur. Les maladies incurables, la pollution, la violence urbaine et la récession économique ont provoqué des réflexes défensifs, le hérisson se rétracte, se met en boule et n'accepte de nourriture extérieure que dûment testée. Le prix, la qualité du produit doivent paraître « sains », l'aliment devient soit un médicament (valorisation des sucres lents, des fibres végétales qui renforcent le corps), soit un poison (les graisses cancérigènes), le supermarché, espace ludique où naguère on vantait le plaisir d'acheter, recule peu à peu devant le *hard-discounter* qui représente déjà en Allemagne plus de 22 % du marché de la grande distribution. Le local est austère, un hangar où s'empilent sur des étagères métalliques des produits empaquetés simplement, sans notification d'une marque quelconque. La consommation n'est plus un bonheur, on hésite à « sortir » faire ses achats... Consommer, certes mais furtivement, à moindre frais et par nécessité pour réintégrer le plus rapidement possible le terrier protecteur. Les Américains ont déjà donné un nom à ce *cocooning* radical, le *burrowing* (de *to burrow :* creuser pour se terrer).

D é f i n i r

Corriger ou punir ?

En juin 1939, l'exécution publique de Weidman, « l'ennemi public numéro un », tourne à la manifestation d'une hystérie collective qui pousse, certaines des spectatrices à vouloir tremper leur mouchoir dans le sang du condamné. La peine capitale sera désormais administrée loin des regards, derrière les murs des prisons... Quarante ans plus tard, elle est abolie, comme si le châtiment devenu clandestin perdait de sa « raison d'être ».

De fait, châtier — du latin *castigare* — renvoie davantage à l'idée de correction qu'à celle de la punition. *Castigare,* **c'est d'abord « réprimer », dans le sens premier de « contenir »...** On le comprend, la fonction du châtiment réside bien dans cette vertu pédagogique de l'exemple. Il s'agit de « contenir » les crimes futurs et non de punir ceux du passé. Le châtiment est une correction infligée par l'Etat à la Société, un instrument de contrôle et de prévention collective, non le moyen de punir les crimes individuels.

C o m p o s e r

A quel crime son châtiment ?

► **A chaque crime...**
Le châtiment est un instrument destiné à « aider » la mémoire collective : ce que grave dans la chair du supplicié le bourreau, c'est

toujours le texte de la loi, parfois non écrite, qui a été transgressé. Le châtiment ressemble ainsi toujours à celui qu'imagine F. Kafka dans la nouvelle *La colonie pénitencière* : une machine à écrire inscrit sur le corps du condamné l'article du code qui n'a pas été respecté. De fait, on comprend pourquoi M. Foucault ouvre *Surveiller et punir* sur le récit détaillé du supplice réservé à Damiens, après l'attentat manqué contre la personne du roi Louis XV : mutilations, brûlures, démembrement... rien du terrible déroulement de l'exécution n'est épargné au lecteur. L'horreur codifiée du châtiment est à la démesure du crime — le régicide. Foucault, fidèle lecteur de Nietzsche, n'a pas oublié *La généalogie de la morale,* ouvrage dans lequel le philosophe allemand identifie la douleur comme principe efficace de mémorisation.

▶ **... suffit sa peine.**
Mais ce que ces châtiments exemplaires apprennent aussi au peuple, ce sont les trois impératifs qui règlent toute législation pénale. **Pour être efficace le châtiment doit être légal, utile et proportionnel.**
Il faut attendre cependant 1764 et le marquis de Beccaria pour que ces trois idées fondamentales fassent l'objet d'une analyse et soient diffusées dans un court essai intitulé en français *Traité des délits et des peines.* Beccaria y rappelle la nécessité de la légalité des peines :

> « Seules les lois peuvent fixer les peines qui correspondent aux délits et ce pouvoir ne peut être détenu que par le législateur, qui représente toute la société réunie par le contrat social. »

C'est évidemment récuser la lettre de cachet qui procède du seul « bon plaisir ». En outre le législateur ne saurait prescrire que des peines utiles à la société. Le châtiment n'est pas une fin en lui-même. De même qu'on ne peut l'appliquer à la répression des fautes qui ne mettent pas en cause l'ordre public. Ainsi tous les délits religieux (hérésie, profanation, etc.) ne sont-ils pas susceptibles d'être « châtiés », du moins « ici-bas », évidemment. Enfin Beccaria formule le principe de la proportionnalité des peines :

> « Les obstacles qui détournent les hommes de commettre des délits doivent être d'autant plus forts qu'ils sont contraires au bien public. Il doit donc y avoir une proportion entre les délits et les peines. »

Approfondir

Avant de consacrer son cours au célèbre parricide Pierre Rivière, Michel Foucault avait entrepris de mener une première réflexion sur la signification sociale des différentes formes que revêt la Punition lorsqu'elle est pénalisée. Ces travaux aboutirent en 1975 à la publication de *Surveiller et punir,* ouvrage dans lequel était identifié un « rêve militaire de la société », apparu en France au début du XIXᵉ siècle. L'Ecole, l'Hôpital et la Prison seraient alors devenus des instruments de contrôle et de coercition maniés par l'Etat et appliqués au corps social.

Foucault distingue, dans son cours, quatre formes de punition : l'exil, la réparation, la mutilation et l'incarcération. Cette dernière retient son attention car elle est la plus tardive et caractérise nos sociétés modernes qui ont choisi de faire de la prison la forme générale de la pénalité. Or ce choix, qui intervient au début du XIXᵉ siècle (on se souviendra, par exemple, que le jeune Tocqueville part en Amérique du Nord, mandaté par le Roi, afin d'en étudier les pénitenciers), est énigmatique, explique le philosophe. En effet, le bannissement a sa logique (la société expulse l'individu qui ne se plie pas à ses lois), la compensation financière obéit à un souci de cohésion sociale (on cherche à guérir la lésion que constitue la faute), la flétrissure et la mutilation ont clairement une vertu pédagogique... Mais la prison, à quoi sert-elle ? Parce qu'elle constitue un abri pour les plus démunis, elle peut n'être pas dissuasive (elle coûte d'ailleurs à la société), parce qu'elle mélange les différents criminels elle fabrique un groupe homogène de délinquants, solidaires contre une société dont ils sont exclus de façon quasi définitive, etc. Les critiques ne manquent pas. Dans les faits on comprend comment la Prison génère de la criminalité... C'est pourquoi les sociétés antérieures à la nôtre ne l'ont guère pratiquée. Dans l'Ancien Régime, par exemple, l'enfermement échappe au droit pénal. C'est un privilège royal que de l'ordonner, voilà pourquoi la lettre de cachet n'a rien de judiciaire. Ce n'est pas une peine. Sont enfermés les mendiants, les fous, les excentriques, bref ceux qui violent, non pas la loi, mais l'ordre social. L'anormal, le monstre, ne saurait être puni, alors on l'enferme.

Dès lors l'organisation de la pénalité d'enfermement s'explique par une évolution de notre perception du délit, conçu désormais comme une sorte de maladie pour laquelle la réclusion est un médicament idéal, puisque susceptible d'être dosé. **La prison est là pour guérir ce que l'Ecole n'aura pu prévenir.**

Actualiser

Réformer le Code de procédure pénale

Le 22 juillet 1992, le Parlement français adopte quatre lois qui constituent le nouveau Code pénal. Ce dernier se caractérise en particulier par une évolution dans le domaine de la nature des peines à présent retenues. On observera, par exemple, qu'il n'est plus fait désormais mention de la peine minimum qu'il convient de requérir. Le juge est libre de déterminer la sanction dans le sens d'une plus grande clémence. Le maximum des peines demeure, en revanche, établi. Le nouveau Code semble donc aller dans la direction d'une plus grande souplesse de la justice, mais surtout il cherche à substituer aux peines de prison, qui sont depuis le XIXᵉ siècle les peines de référence (voir *supra*), des peines de substitution.

Sommes-nous en train de sortir de cette logique carcérale que Foucault identifie dans *Surveiller et punir* ?

La tendance est évidemment perceptible pour les peines correctionnelles. La liste de ces peines (art. 131-3) est beaucoup plus importante aujourd'hui. Le législateur propose un éventail qui s'étend de l'emprisonnement à l'amende, en passant par le « jouramende » et les travaux d'intérêt général. De fait, il s'agit désormais de reconnaître le caractère désocialisant de la prison et de proposer des substituts qui sont au contraire des incitations à la socialisation. Le nouveau Code témoigne ainsi d'un esprit « plus social », c'est-à-dire qu'il met le châtiment au service de la collectivité... Dans ces conditions s'agit-il encore d'un châtiment ? A-t-on conscience d'être « puni » lorsque l'on œuvre pour le bénéfice de la société ? C'est peut-être la « logique » de la punition qui régresse au profit d'une logique de la « réparation », celle que M. Foucault prétend caractéristique des sociétés gothiques et de la justice telle que la concevaient les Francs.

On peut se demander enfin si une telle évolution procède de la volonté du législateur ou bien de la nécessité qu'impose un univers surpeuplé, celui d'une prison coûteuse et inefficace? Avions-nous vraiment le choix de ce libéralisme pénal?

D é f i n i r

Aux sources du Droit

Pour le *Code civil,* le contrat est « une convention par laquelle une ou plusieurs personnes s'obligent envers une ou plusieurs autres à donner, à faire ou à ne pas faire quelque chose. »

Le contrat résulte en effet d'un accord : *cum-trahere,* en latin, « tirer ensemble », évoque bien cet effort partagé en vue d'une fin désirée par tous. Dire que les contractants s'obligent mutuellement c'est dire qu'ils définissent pour eux-mêmes des droits et des devoirs.

Toujours expression d'une volonté collective, le contrat sert de modèle aux juristes du xviie siècle pour penser le passage de l'état de nature à l'état civil. On peut, grâce au Contrat, imaginer que la Société est une association librement consentie par des individus qui manifestent ainsi leur volonté. Acte fondateur mythique ou bien réalité de chaque jour (nous ne cessons pas de passer des contrats, en tant que consommateurs, par exemple), le contrat produit du Droit. « Sans contrat, point de droit » rappelle Nietzsche dans *Humain, trop humain.*

Composer

Le contrat et la loi

▶ **Si la loi...**

Le Droit est composé d'un ensemble de règles qui n'ont pas toutes la même nature. On retient volontiers la loi comme règle de droit par excellence. Or la loi prescrit et ne réclame donc pas l'accord de toutes les parties concernées. Elle s'impose et par là inflige une forme de violence. Elle oblige tous les individus particuliers à se soumettre à son universalité. Celui qui fait et dit la loi manifeste ainsi sa force, fût-elle fondée sur une exigence de rationalité. Dans une démocratie où le Peuple souverain se trouve représenté par une assemblée législative, la loi n'en cesse pas moins d'être le discours du plus fort, étant entendu que le nombre fait alors la force.

▶ **... s'oppose au contrat...**

Mais les citoyens n'obéissent pas seulement à des règles qui leur sont imposées par une autorité supérieure. Le contrat s'oppose ainsi nettement à la loi comme un moyen de création spontanée du droit, un droit fondé sur le principe du consentement, de l'autonomie, c'est-à-dire la capacité à se donner soi-même les règles auxquelles on se soumet. Le contrat met ainsi en avant ce que la loi peut dissimuler : le caractère artificiel du Droit. De fait, si l'on peut accepter l'idée d'une loi naturelle (expression de l'autorité suprême, Dieu ou la Nature), l'expression « contrat naturel » n'a guère de signification, sauf à rappeler comme Hobbes le caractère naturel de la disposition des hommes à produire des artifices afin d'assurer leur propre conservation.

▶ **... l'une et l'autre font du droit l'expression de la force.**

Est-ce à dire que la réciprocité qu'implique l'idée de contrat fait de celui-ci une règle de droit « libérale » et plus juste ? Le contrat permet-il au droit d'échapper à ce soupçon, toujours récurrent depuis les penseurs contre-révolutionnaires puis marxistes, de n'être au fond que l'expression du droit du plus fort ? Ce serait oublier que le contrat fait l'objet d'une négociation et qu'il ne permet pas nécessairement d'éviter l'affrontement des parties concernées. Il existe des contrats « léonins » imposés par le fort au faible, des contrats qui exploitent l'ignorance, l'inattention, la négligence de l'une des parties (clauses illisibles, vocabulaire spécialisé, etc.). Consentir ce n'est pas toujours être libre. Le consentement comme l'universel peut n'être que de façade, une ruse de sophiste pour laisser croire à l'innocence (*noceo :* nuire) de l'artifice juridique.

Approfondir

Léviathan
THOMAS HOBBES (1651)

Th. Hobbes est l'auteur d'une fiction normative qui n'a rien à envier à celle qu'imaginera un siècle plus tard J.-J. Rousseau : l'état de nature comme état de guerre permanente entre les hommes. Cet état de guerre de chacun contre tous est la conséquence d'un postulat (d'ailleurs identique chez Rousseau, alors que la représentation que l'auteur du *Contrat social* donne de l'état de nature s'oppose radicalement à celle de Th. Hobbes) : les hommes sont égaux dans la nature par la nature même de leurs désirs :

> « Je mets au premier rang et à titre d'inclination générale de toute l'humanité un désir perpétuel et sans trève d'acquérir pouvoir après pouvoir, désir qui ne cesse qu'à la mort. »

Parce qu'ils désirent tous la même chose, les hommes sont conduits à l'affrontement généralisé (ce qui n'est pas du tout la vision d'un Rousseau). L'égalité des désirs, inhérent à la nature humaine, nuit donc à terme à l'espèce. Elle rencontre en outre sur son chemin un désir particulier, celui de subsister. L'état d'insécurité dans lequel les hommes, régis par la seule loi de leurs désirs, se trouvent plongés devient rapidement intolérable. Il convient par conséquent de trouver un moyen par lequel contrôler ces pulsions et ces appétits de pouvoir.

Hobbes imagine alors que les hommes conviennent d'abandonner à un tiers la responsabilité de régler leurs conflits. Ils décident ensemble de renoncer à toute forme de violence et de s'en remettre à une entité artificiellement créée par le contrat qu'ils passent. Les hommes inventent donc l'Etat, ce monstrueux Léviathan, seul détenteur à présent de la violence :

> « C'est comme si chacun disait à chacun : j'autorise cet homme ou cette assemblée, et je lui abandonne mon droit de me gouverner moi-même, à cette condition que tu lui abandonnes ton droit et que tu autorises toutes ses actions de la même manière. Cela fait, la multitude ainsi unie en une seule personne est appelée République. »

L'association politique résulte bien, selon Hobbes, d'un calcul elle suppose un consentement fondé sur l'assurance de la réciprocité des conditions. **Il s'agit donc d'un contrat.**

Si la société procède d'un acte contractuel, elle apparaît donc comme un artifice, le résultat d'un effort *(trahere)* et non la manifestation naturelle de la spécificité humaine. L'homme n'est donc plus perçu comme un « animal politique » mais comme un artisan politique, par là même distinct de l'animal. La société n'achève pas la nature, elle se dresse contre elle comme une protection pour les hommes qui s'y retrouvent.

Actualiser

Légaliser tous les contrats ?

Notre vie sociale est faite d'une multitude de contrats, le plus souvent tacites (ne serait-ce que lorsque nous consommons) mais qui ne sont pas nécessairement tous licites. En effet, si par contrat je désigne toute forme de transaction librement consentie par toutes les parties prenantes, je donne au mot une couverture extrêmement large. De fait, si le contrat suppose l'accord, ce dernier résulte peut-être de la confrontation de rapports de force. Certains contrats ne sont pas équitables. C'est pourquoi l'Etat a été conduit à intervenir de plus en plus fréquemment dans l'établissement de ces actes de droit privé (en imposant une forme à la rédaction du contrat, en prélevant des taxes..., cf. le contrat de location). Cette intrusion de la loi dans le contrat va effectivement dans le sens d'une plus grande intervention de la puissance publique dans la sphère privée des échanges entre les individus. On conçoit par conséquent que les tenants d'un libéralisme absolu réclament une libéralisation du contrôle de l'Etat sur les contrats, voire une licence à conclure toute forme de contrat, pourvu que celui-ci ne vienne pas perturber l'ordre public.

C'est ainsi que l'économiste ultralibéral américain, Walter Block, dans un ouvrage dont le titre et le contenu sont particulièrement provocateurs, *Défendre les indéfendables,* propose de légaliser les « contrats » les moins licites, celui qui « unit » le proxénète à la prostituée, le dealer au drogué, l'usurier à l'emprunteur... « Dans la mesure où toutes ces activités ne génèrent pas de violence — écrit-il — elles devraient être légales. » C'est proposer au nom d'une conception très libérale du contrat une nouvelle définition de celui-ci : le consentement. Mais consentir n'est pas convenir et le droit ne peut endosser le cynisme des tenants de la primauté de la force. Les relations de domination ne peuvent faire l'objet d'un contrat — celui qui lie par exemple Sacher-Masoch à sa maîtresse Wanda — que si elles sont librement souhaitées et susceptibles d'être dénoncées à tout moment.

Peut-on vraiment défendre ce « défenseur de l'indéfendable » ?

Définir

Rien de plus naturel

Le verbe latin *colere* signifie avant tout *cultiver la terre,* c'est-à-dire la soigner pour qu'elle donne des fruits. A ce premier sens il faut ajouter celui des verbes *habiter* (qui est perceptible dans les mots *colons, colonisation, colonie*) et *honorer les dieux* (qui s'entend dans le substantif *culte*). La culture participe donc de ces trois acceptions, on peut la définir comme un processus sacré d'aménagement de la nature par l'homme.

On dira ainsi que l'homme est un être de culture dans la mesure où sa nature le pousse à transformer son environnement et à réaliser du même coup sa propre métamorphose. La culture est à la fois mouvement, devenir d'un esprit confronté à la résistance de la matière, et l'ensemble des étapes précédemment franchies qui totalisent toute l'expérience de l'humanité. *La culture* est par conséquent *naturelle,* elle est l'expression même de la nature, une nature qui se prolonge grâce à la médiation de la nature humaine.

Composer

La culture fait-elle exception ?

▶ **L'homme, exception culturelle...**

Parce qu'il est dépourvu d'instinct, l'Homme ne peut vivre sans danger dans la Nature, contrairement aux autres espèces animales.

Il lui faut donc se mettre à bonne distance de cette Nature dangereuse grâce à ce travail par lequel il modifie le milieu pour se l'approprier. Par la Culture l'homme se protège donc de la Nature. La
Culture retire bien l'homme de la Nature, elle *l'ex-cepte* au sens
latin du terme (*ex-capere :* prendre hors de...), elle fait de lui une
véritable exception. L'exception culturelle, c'est l'homme. De fait la
Culture est loin d'être incompatible avec ces valeurs de l'Humanisme qui font de l'Homme la norme et la valeur par excellence.
L'idée d'une exception culturelle, *stricto sensu,* réalise le projet
humaniste en même temps qu'elle en est la condition nécessaire.

Evidemment, la notion « d'exception culturelle », telle que les
négociations récentes du GATT l'ont définie spécialise la culture dans
cette activité spécifique que l'on appelle l'Art.

> ► ... découvre au moyen de l'art que la culture...

L'art est métis. Par définition d'abord, puisqu'il réclame le
mélange d'un savoir-faire, une technique, et de ce qui ne peut s'acquérir ni se transmettre, le génie. Ainsi l'artiste est-il fondamentalement un « homme mêlé » qui sait également puiser son énergie
créatrice dans la rencontre de l'inconnu, voire de l'inattendu. Le
métissage est aussi le moteur de son inspiration : le cubisme naît de
la découverte de l'art nègre comme le maniérisme fin de siècle
trouve dans les aquarelles et les estampes des maîtres du Japon
(Monet collectionneur des œuvres d'Hokusaï) matière à se renouveler... Tout se passe comme si l'œuvre naissait toujours, pour
détourner Lautréamont, de « la rencontre fortuite sur une table de
dissection d'un parapluie et d'une machine à coudre ». A cet égard,
notre siècle est lui-même artiste qui ne cesse de s'efforcer de combiner, mêler, connecter, organiser d'impossibles communications.

> ► ... est apprentissage du métissage...

De fait, notre modernité se caractérise par le transculturel alors
que dans le même temps se multiplient les ghettos, comme si la
coexistence de lieux très nettement limités par des spécificités culturelles était une incitation permanente au métissage créatif. Cl. Lévi-
Strauss a toujours cherché à expliquer la nécessité d'un tel para-
doxe : pour vivre et se développer une culture a autant besoin du
contact avec les autres que de l'affirmation de sa spécificité.
L'exemple du Japon est particulièrement illustratif. La vie culturelle d'un peuple doit réagir comme un objectif photographique,

fermé quand la lumière extérieure est trop forte, ouvert quand il fait sombre. De ce point de vue, la notion « d'exception culturelle » que la négociation des accords du GATT a fait surgir ne manque pas d'à-propos.

► **... mais ne saurait dissoudre l'identité des peuples.**

La culture peut-elle faire l'objet de ces vastes marchandages ? La réponse n'est sans doute pas à chercher du côté de l'indignation vertueuse qui s'offense de voir les créations reléguées à l'état de simples produits. L'Art et l'argent ont depuis longtemps partie liée ! C'est plutôt la nature du Marché qui ne laisse pas d'inquiéter. Echapper au GATT c'est en effet échapper aussi à l'action unifiante des Etats-Unis. L'économie fait effectivement éclater les cloisons nécessaires à la création culturelle au profit du plus riche qui impose sa spécificité et fait de sa particularité un universel. Au métissage hasardeux et surprenant les Etats-Unis préfèrent la fusion dans le moule qu'ils ont préfabriqué... Contre le métis, bel hybride fascinant il oppose le « standard ». C'est aujourd'hui la patrie du *melting pot* qui menace le mélange des cultures !

A p p r o f o n d i r

La défaite de la pensée
ALAIN FINKIELKRAUT (1987)

La Culture se trouve à présent dépossédée de sa majuscule singulière pour subir l'action d'un possessif particularisant ; elle est devenue **ma** culture, c'est-à-dire l'expression de la communauté à laquelle j'appartiens. A. Finkielkraut va montrer ainsi comment cette activité spirituelle et créatrice, d'une valeur universelle, qu'on appelle Culture, a cédé devant le relativisme culturel qui désormais nivelle tous les modes d'expression humaine en les valorisant pareillement. L'abandon du caractère universel de la Culture, telle est cette « défaite de la pensée » qui s'est effectuée en deux temps.

La première bataille est livrée dans le passage de l'Esprit des Lumières au Romantisme. Sous l'influence de Herder puis de Fichte qui affirmèrent ne pas pouvoir faire abstraction du contexte historique et national dans lequel apparaît une œuvre de l'esprit, les romantiques vont faire de la culture le moyen d'expression privilégié de leur singularité :

> « Sous le nom de culture, il ne s'agit plus pour eux de faire reculer le préjugé et l'ignorance, mais d'exprimer dans sa singularité irréductible, l'âme unique du peuple dont ils sont les gardiens. »

Pourtant, Goethe, en 1827, confie à Eckermann qu'il lui semble percevoir quelque chose qui transcende les conditions particulières de l'apparition d'un poème ou d'un roman, ce quelque chose qui lui permet de retrouver dans le roman chinois qu'il est en train de lire « l'esprit » de son propre poème épique intitulé *Hermann et Dorothée.*

La seconde étape dans le processus de dévaluation de la pensée intervient à la suite d'événements tout aussi « politiques » que les guerres napoléoniennes contre l'Europe des monarchies absolues. Si le nationalisme culturel des romantiques s'est constitué *contre* l'esprit de conquête des Français et leur ambition à propager le modèle civilisateur des Lumières, le relativisme culturel qui marque notre modernité provient d'un sentiment de culpabilité apparu à la suite de la décolonisation.

Cette « défaite de la pensée » est donc doublement « historique ».

De fait, la société pluriculturelle dans laquelle nous vivons aujourd'hui, où le relativisme s'est fait aider du principe de tolérance pour s'imposer aux valeurs humanistes, refuse d'attribuer à telle ou telle manifestation de la créativité humaine une prééminence. Tout se vaut.

> « L'absorption vengeresse ou masochiste du cultivé (la vie de l'esprit) dans le culturel (la vie coutumière) est remplacée par une sorte de confusion joyeuse qui élève la totalité des pratiques culturelles au rang des grandes créations de l'humanité. »

Finkielkraut d'une formule désormais célèbre résume la situation : « Ce que lisent les lolitas vaut *Lolita.* » Le rap *vaut* la musique symphonique, quant à Stallone et Orson Welles, ils font le même métier.

Mais quel rapport avec la décolonisation ?

En laissant derrière lui ses colonies du siècle précédant, l'Occident a découvert du même coup que les peuples qu'il avait soumis étaient détenteurs d'une culture qu'on avait un peu trop rapidement disqualifiée. La valorisation de la culture occidentale procé-

dait — explique ainsi Claude Lévi-Strauss — d'une conception
« ethnocentriste », c'est-à-dire d'une prétention à se considérer
comme **la** norme. Finkielkraut donne à de tels raisonnements le
nom de « trahison généreuse » et explique qu'ils furent principalement le fait des structuralistes. De là vient le refus d'accorder une
portée universelle à la Culture. Par l'affirmation systématique du
particulier, « la barbarie a donc fini par s'emparer de la culture ».

Actualiser

La culture aux philistins

Le XXᵉ siècle : l'ère des masses. L'idée, devenue banale, permet
toutefois de penser aujourd'hui l'évolution des sociétés occidentales
au cours de ces dernières décennies. Elle autorise aussi à comprendre ce que le philosophe H. Arendt nomme « la crise de la
culture », qu'A. Finkielkraut identifie à une « défaite de la pensée »
et que les négociations du GATT portant sur la création audiovisuelle confirment être la mainmise des philistins sur la Culture.

Le mot « philistin » apparaît pour la première fois, selon Arendt,
sous la plume de Brentano. Il désigne alors « un état d'esprit qui
juge tout en termes d'utilité immédiate et de valeurs matérielles, et
n'a donc d'yeux pour des objets et des occupations aussi inutiles
que ceux relevant de la nature et de l'art ». Le philistin, voilà donc
l'ennemi tout désigné de l'artiste. Au XIXᵉ siècle, le mot sonne en
effet comme la pire insulte. C'est pour le philistin que Flaubert
rédige le *Dictionnaire des idées reçues* et Léon Bloy *L'exégèse des
lieux communs*. Il incarne toutes les valeurs d'une société dite
« bourgeoise », et pour cela même exécrée. C'est contre lui que
l'artiste se constitue et produit une œuvre à l'inutilité flamboyante.

Avec l'ère des masses, il devient utile de se distinguer, et le philistin ressent ce besoin comme les autres. La culture apporte ainsi de
la valeur qu'elle peut ajouter. Elle devient signe extérieur d'exception, le principe même de son rejet du philistin est pour ce dernier
un nouvel indice du prix qu'il convient de lui accorder. L'art et
l'artiste se trouvent alors « récupérés ». **Enfin reconnu, la Culture
l'est à titre de « marchandise », elle se découvre n'être qu'un signe
extérieur de richesse.**

De fait, par un renversement inattendu, les « réprouvés » des salons du XIXᵉ siècle sont à présent les valeurs sûres des salles de vente et les « poètes maudits » font les beaux jours des programmes officiels du baccalauréat ! C'est dire à quel point la signification subversive des œuvres s'est évaporée dans les besoins du marché : la victoire du philistin est totale. En donnant du prix à ceux qui n'avaient d'autre objectif que de le dévaluer, M. Homais a montré sa grandeur d'âme, il a surtout démontré que tout s'achète : rien ne résiste plus très longtemps à l'esprit de calcul. La force du *fonds de commerce,* c'est qu'il est sans fond !

Définir

La ruine et l'agonie

Les ruines plaisent au goût pré-romantique du XVIIIᵉ siècle : Claude Gelée dit le Lorrain, Hubert Robert aiment à les représenter, noyées dans une nature exubérante qui semble avoir le dernier mot sur l'Histoire. Elles portent à la méditation, Chateaubriand leur consacrera ses meilleures pages. Quelques années auparavant Diderot, à propos d'un tableau de Robert, *Grande galerie éclairée du fond,* aura même avoué : « Les idées que les ruines réveillent en moi sont grandes. Tout s'anéantit, tout périt, tout passe. Il n'y a que le monde qui reste. »

Il n'est guère surprenant d'assister, à la même époque, à la promotion du concept de « décadence ».

En effet, le mot désigne le délabrement progressif d'un édifice. Montesquieu contribue à donner au terme une acception figurée en le spécialisant dans le registre politique. A la suite des *Considérations sur les causes de la grandeur des Romains et de leur décadence* (on appréciera comme le mot, disloqué de son déterminant, « des Romains », est mis en évidence), en 1734, on évoquera volontiers la décadence d'un Empire, d'un Etat ou d'une Nation. La métaphore ruiniste compare implicitement l'Empire en question, ou l'institution, à un édifice qui s'écroule. Il y a du monumental dans cette chute et la décadence ne convient qu'aux majestés.

Le déclin, par contre, est plus ordinaire. La métaphore est organique : ne décline qu'un vivant sur le point d'expirer. La nuance est d'importance : la décadence s'inscrit dans la durée, celle de la pierre descellée, le déclin rappelle la brièveté de la vie.

Composer

La Décadence est-elle un « cadeau de la modernité » ?

▸ **La décadence est un artifice...**

Décadence ne se dit pas en latin, même si celle de Rome semble avoir servi de « modèle » pour toutes les autres. Le terme dont la signification est la plus proche paraît être *degeneratio, phthora* en grec, la ruine indissociable de la *genesis,* c'est-à-dire la naissance. Pour les Anciens en effet, il n'y a pas lieu d'accorder à la « décadence » une attention particulière, elle fait partie d'un tout, celui de la Vie. Ce sont les Modernes qui inventent le mot pour dire la rupture qu'ils incarnent avec un monde des ténèbres : *Post tenebras lux !* L'historien Pierre Chaunu le rappelle : « La décadence est un cadeau de la modernité. » C'est dire le caractère idéologique d'un mot, d'abord outil de ceux qui le dénoncent pour devenir ensuite celui de ses défenseurs.

▸ **... qui représente aux modernes...**

De fait, il n'y a pas de Décadence, sauf à donner à l'Histoire un sens giratoire comme le rappelle Platon dans le mythe du *politique* : tantôt les dieux tiennent le gouvernail, tantôt ce sont les hommes, alors le cours des choses s'inverse et « rien ne va plus » ! Sauf à faire de cette Décadence l'envers du Progrès, inévitable comme lui, « à rebours » du sens habituellement donné à l'Histoire comme l'exprime par exemple Gobineau dans l'*Essai sur l'inégalité des races humaines.* Bref, la Décadence est re-présentation, image tardive produite par l'Occident qui découvre toutes les implications de la modernité.

C'est en effet ce que montre Oswald Spengler dans *Le déclin de l'Occident* publié en 1918. Selon lui, l'âme occidentale est « faustienne », elle désire l'inaccessible. Ce qu'à la même époque, mais à la suite d'une approche radicalement différente, le philosophe E. Husserl exprime dans *La crise des sciences européennes* :

> « Il est une idée infinie, sur laquelle, de façon cachée, l'ensemble du devenir de l'Esprit veut pour ainsi dire déboucher. »

Les Occidentaux ont visé l'infini, et cette visée de l'infini ils en ont fait le moteur de l'activité scientifique.

Effectivement, la modernité n'est-elle pas ce moment où les Européens découvrent, en même temps que leur finitude (nous ne sommes qu'un point dans l'espace), l'infinie possibilité qui s'ouvre à leur intelligence ?

> ▶ ... l'échec de la modernité.

Or ce désir d'infini qui reflète tout simplement l'infini du désir n'en finit plus d'épuiser les modernes. La peau de chagrin qui rétrécit après chacun des vœux que formule Valentin, le héros de Balzac, préfigure cette mise en scène de l'épuisement que réalise la **Décadence,** celle de la fin du XIXe siècle, apparue comme le contrecoup de la fièvre scientiste qui s'empara du pays sous le second Empire. Ce que montre Huysmans dans *A rebours,* Zola dans *La Curée* et même le Baudelaire de *Anywhere out of the world,* c'est un rétrécissement de l'espace humain où respirer devient si difficile. Des Esseintes qui ose à peine vivre entre les murs de sa propriété de Fontenay, Renée dont la sensualité s'exaspère dans l'atmosphère lourde et chaude d'une serre, tous les personnages qui peuplent l'imaginaire décadent languissent de l'étroitesse de leur corps, sans mesure avec la hardiesse de leurs désirs. L'artiste décadent sublime alors cet étranglement progressif de l'idéal dans le goulot du spleen.

La Décadence, comme tout exercice de représentation, est une recherche de la lucidité, celle de la modernité dont elle est peut-être le cadeau, mais un cadeau surgi assurément de la boîte de Pandore.

Approfondir

Poésies
STÉPHANE MALLARMÉ (1870-1898)

L'œuvre rare de Stéphane Mallarmé, tardivement découverte par ses contemporains, porte en elle tous les stigmates de l'esprit fin de siècle et permet de comprendre de quoi la Décadence est la mise en scène.

Le professeur d'anglais doit sa notoriété au roman de J. K. Huysmans, *A Rebours*. Ce bréviaire de la décadence fit découvrir aux lecteurs qu'il s'écrivait dans le silence une œuvre secrète et précieuse, inaccessible au grand public parce que difficile. Au chapitre XIV du roman, Huysmans fait l'éloge des vers de Mallarmé en ces termes :

> « Ces vers, il (Des Esseintes, le personnage principal du roman) les aimait comme il aimait les œuvres de ce poète qui dans un siècle de suffrage universel et dans un temps de lucre, vivait à l'écart des lettres, abrité de la sottise environnante par son dédain, se complaisant, loin du monde, aux surprises de l'intellect, aux visions de sa cervelle, raffinant sur des pensées déjà spécieuses, les greffant de finesses byzantines... »

Raffinement et absence de complaisance, ces deux caractères de la poésie de Mallarmé conduisent l'œuvre sur les voies de l'**hermétisme**. De fait, les poèmes en question passent pour être d'une lecture difficile. C'est qu'ils disent précisément la difficulté de lire et la difficulté d'écrire, ils relatent la tragédie d'un homme impuissant dans sa langue à trouver une parole. Le texte emblématique de l'œuvre paraît être le sonnet intitulé « Le Vierge, le Vivace... » Un cygne magnifique a ses ailes prises dans les eaux gelées d'un lac d'où il ne peut plus s'enfuir, sauf à se mutiler lui-même :

> « Tout son col secouera cette blanche agonie
> Par l'espace infligé à l'oiseau qui le nie,
> Mais non l'horreur du sol où le plumage est pris. »

La puissance symbolique de l'image est forte : elle renvoie à la fois à l'angoisse de la page blanche, glacée, qui paralyse le poète ; elle esthétise par conséquent cette peur de la stérilité, de l'impuissance à créer ; elle évoque aussi la glaciation d'une langue devenue si triviale qu'elle interdit toute tentative d'expression authentique... Bref dans la blancheur du Cygne et de la glace dans laquelle l'animal se cristallise Mallarmé reflète la nostalgie d'un passé perdu, la noblesse (le blanc, couleur du Roi) d'esprit et de culture que l'époque ne reconnaît plus. La Décadence ne met-elle pas ainsi en scène cette extinction « sublime » des élites qui font de leur ultime résistance, cette agonie, la matière de leur œuvre. Le génie de Mallarmé tient aussi à cette manière de faire de sa lutte contre la langue (les vers du poète sont peu nombreux, comme tirés du silence par un effort surhumain) le symbole d'un combat social et moral. Certains textes appellent évidemment à l'action. Il faut aussi songer à sortir de cette torpeur et « donner un sens plus pur aux mots de la tribu » *(Le tombeau d'Edgar Poe)*. Mais ce retour à la « vérité étymologique » des mots ne conduit-il pas le poète à demeurer définitivement incompris de ses contemporains. Cette exigence absolue ne fait-elle pas du vers le « *bibelot d'inanité sonore* » qu'elle souhaitait au contraire abolir ? L'œuvre creuse l'écart entre l'artiste et la société à laquelle il appartient, elle ne s'en tient pas à constater un décalage (voir Baudelaire et « L'Albatros » dans *Les fleurs du Mal*). Bref, la dimension politique d'une création pourtant obstinément muette dès qu'il s'agit précisément de politique n'aura pas échappé à J.-P. Sartre qui écrit à propos des artistes « décadents et symbolistes » :

> « Ils décorent du nom de noblesse leur vain regret d'une noblesse anéantie ; et leur singularité irremplaçable n'est au fond que la négation de l'universalité. »
>
> *Mallarmé, la lucidité et sa face d'ombre.*

La Décadence est davantage qu'un simple repli sur l'esthétique d'un petit groupe de déçus de la politique, elle s'écrit aussi en haine de la démocratie.

Actualiser

Culture de crise

Rares sont les mots à connaître une telle pérennité médiatique ! Les modes lexicales passent, la « Crise » demeure : souvent « économique », parfois « sociale », quelquefois même « existentielle »... Elle se décline sur petit (on se souvient du « subtil » *Vive la crise !,* émission télévisée animée par Yves Montand) et grand écran (*La crise* de C. Serreau)... Le mot paraît presque magique, il rend compte du présent et donne au passé sa rationalité. Bref, « c'est la crise » et tout est dit !

Mais que dit-on alors précisément ? Une telle constance à le dire est-elle bien innocente ? Cultiver le sens de la Crise, n'est-ce pas entretenir la représentation « décadente » du présent ?

Le mot est emprunté au vocabulaire de la médecine, celle d'Hippocrate évidemment, qui s'exerce en grec. Il désigne un moment attendu par le malade comme par celui qui le soigne : quand la maladie se révèle telle qu'en elle-même et qu'il est désormais possible de discerner (*Krinein,* en grec) le sain du malsain, ce qui est corrompu de ce qui ne l'est pas. En pleine crise on y voit plus clair, tout ce qui demeurait latent s'est manifesté. Dans ces conditions, la crise ne saurait être que passagère, et brutale : le corps en crise se soigne ou bien meurt. Que penser d'une « crise » qui dure, dans laquelle on s'installe avec une complaisance morbide qui rappelle celle d'un Huysmans énumérant les maux dont souffrent les pèlerins de Lourdes qu'il observe sortir du train ?

De fait la Décadence aime la clinique, elle voit le Monde sous l'aspect d'un hôpital (Mallarmé, *Les fenêtres*) où chacun se révèle être un malade incurable. Elle file la métaphore de la maladie pour dire la désagrégation d'un siècle que défigure la syphilis du Progrès, comme le visage de Nana est à la dernière page du roman l'allégorie pathétique du second empire. On comprend que Huysmans ait trouvé en Lydwine de Schiedam la sainte patronne de cette sensibilité décadente qui exprime l'idéal réactionnaire (au sens strict du terme) du XIXᵉ siècle finissant : Lydwine n'a jamais cessé d'être malade, sa « passion » fut rythmée par d'innombrables « crises » puisque le corps fut l'objet de toutes les maladies possibles et imaginables. Prostrée sur sa pauvre paillasse, la sainte hollandaise a vécu de quoi défier l'ensemble de ces « dictionnaires médicaux » dont nos contemporains sont si friands.

Dès lors, répéter à l'envie depuis une décennie que nous vivons une « crise » qui n'en finit plus de durer, n'est-ce pas mettre en scène la longue maladie du corps social dont la Décadence a besoin pour assurer sa représentation de la modernité ? Davantage qu'un diagnostique, la « crise » n'est-elle pas un instrument idéologique au service d'une morale du repli frileux qui caractérise parfois les « fins de siècle » ?

Démocratie

Le gouvernement des dieux

La définition que propose Robespierre est simple :

« La démocratie est un état où le peuple souverain, guidé par des lois qui sont son ouvrage, fait par lui-même tout ce qu'il peut faire, et par des délégués tout ce qu'il ne peut pas faire lui-même. »

Sur les principes de morale politique.

La démocratie, c'est donc le gouvernement du Peuple, l'institution qui lui donne accès à l'autonomie, cette aptitude à se fixer soi-même ses lois. Avec la démocratie, le Peuple devenu autonome semble sortir de l'enfance politique et s'émancipe de la figure paternelle que prend le monarque ou le despote.

Mais si les principes frappent par leur simplicité, leur application n'est possible que par l'intermédiaire d'institutions dont la complexité finit par faire écran entre le Peuple et son pouvoir supposé. Qu'il y ait aussi des « lois impopulaires » dans une démocratie révèle un décalage, voire un dysfonctionnement du régime. Faut-il incriminer le caractère indirect de l'exercice du pouvoir par le Peuple dans une démocratie parlementaire, puisque dans ce cas le Peuple élit des représentants qui décident en son nom ? La **démocratie directe** (où le Peuple, réuni en assemblée comme dans la Grèce antique ou certains cantons suisses, décide directement) permet-elle — et elle seule — d'assurer au Peuple son pouvoir ? Les imperfections du système athénien, au ve siècle, laissent supposer que la démocratie « authentiquement démocratique » n'est guère faite pour les hommes. On connaît les mots sur lesquels Rousseau conclut le chapitre IV du livre III du *Contrat social* :

> « S'il y avait un peuple de dieux, il se gouvernerait démocratiquement. Un gouvernement si parfait ne convient pas à des hommes. »

Composer

La démocratie peut-elle être sans contradictions ?

▸ **Essentielles au débat démocratique...**

La contradiction est un élément constitutif de la pratique démocratique. Sur l'*agora,* le débat est contradictoire (*contra-dicere :* dire contre), les opinions s'affrontent, chacun peut prendre la parole. Le pouvoir du peuple s'éprouve d'abord dans l'affirmation de la diversité inévitable des discours. Cette logique de la multiplicité reconnaît l'égalité de tous ceux qui composent le peuple. De fait, si le peuple se fait Un c'est qu'il est composé d'égaux, toutefois **égalité ne signifie pas similitude.** L'égalité du droit à la parole apparaît en effet comme la condition nécessaire à l'affirmation de la singularité. L'idéal démocratique nourrit ainsi les aspirations individualistes.

Dans ces conditions, n'y a-t-il pas contradiction entre la reconnaissance de la pluralité des avis et la nécessité d'aboutir à une prise de position unique ? En effet, si la démocratie fait de la contradiction des discours qui s'expriment librement son moteur, ne réclame-t-elle pas, un moment donné, la concorde ?

▸ **... les contradictions surgissent comme des difficultés...**

De fait, la démocratie n'est pas seulement un idéal, c'est aussi — et surtout — un régime de gouvernement. Or gouverner c'est décider et pour que décision soit prise, il est nécessaire que cessent les contradictions qu'expriment les individus-citoyens. On a dès lors recours à la pratique du vote qui soumet chacun à la loi de la majorité, relative ou absolue. Ainsi la démocratie n'est-elle jamais vraiment le pouvoir du peuple mais plutôt celle d'une d'une majorité qui se dégage du peuple. La démocratie c'est alors le pouvoir du nombre, un retour au droit du plus fort, à considérer les plus forts comme les plus nombreux. Ce qui paraît désormais contradictoire c'est le décalage entre le pouvoir réel des uns et l'impuissance des autres qui voient leur droit réduit, *stricto sensu,* à sa plus simple « expression »... Les plus nombreux, en outre, ne sont pas nécessairement les plus sages, ni les plus compétents.

Un regard pessimiste porté sur la nature humaine découvre ainsi dans la démocratie une tyrannie de la majorité. Ne risque-t-on pas de laisser le gouvernement de la Cité aller au gré de l'ignorance, voire peut-être de la bêtise si l'on croit que la finesse et la lucidité d'esprit sont rarement partagés le mieux du monde ?

▶ **... sitôt qu'on envisage la pratique de gouvernement**

La réalité, encore une fois, dissipe les inquiétudes en même temps qu'elle révèle une nouvelle contradiction.

En effet, ce n'est jamais la majorité qui gouverne, ce sont ses représentants et les représentants du peuple, ce n'est pas le peuple. Ainsi le démos laisse-t-il à quelques-uns, les plus habiles à parler, ceux qui ont l'habitude, le soin d'exercer en son nom le pouvoir. Le régime démocratique apparaît alors dans la contradiction d'une intention (celle que laisse entendre encore l'étymologie) et d'une réalité (l'accès au pouvoir d'une **classe** de spécialistes) qui se manifeste dans la double séparation gouvernants-gouvernés et représentants-représentés.

Approfondir

La métamorphose de la démocratie
LAURENT COHEN-TANUGI (1989)

La démocratie française est aujourd'hui mue par cette « révolution silencieuse » que constitue, selon L. Cohen-Tanugi, la réévaluation du Droit. Celle-ci se traduit principalement par le *développement du constitutionnalisme.* Ce dernier en effet accorde aux droits fondamentaux, établis par le texte constitutionnel, la primauté sur la loi votée.

Ainsi le Conseil constitutionnel, créé en 1958, résume dans une décision du 23 août ce qui désormais fonde le constitutionnalisme :

> « La loi votée (...) n'exprime la volonté générale que dans le respect de la Constitution. »

La loi se trouve donc régie par une norme proclamée supérieure : la Constitution. La décision du Conseil rompt avec la tradition héritée de la Révolution française qui faisait de l'expression de la volonté générale, la loi, un absolu. Cet absolu devient relatif.

La seconde étape du processus est franchie lorsqu'en 1971 le Conseil donne valeur constitutionnelle à l'ensemble des principes énoncés au préambule de la Constitution de 1958 : ceux de la déclaration de 1789 et du préambule de la Constitution de 1946. Le Conseil s'accorde les moyens d'intervenir dans tous les domaines du débat public. Aucune question d'ordre social ne lui est désormais étrangère. Ce qui signifie qu'il n'y a guère de débat politique chargé d'enjeux qui ne puisse être évalué à l'aune des principes visés par la Constitution. Le Conseil peut alors arbitrer tous les conflits sociaux en soumettant les lois votées par le Parlement à l'examen des principes du Droit naturel.

Enfin, la réforme du mécanisme de saisine du Conseil, voulue par V. Giscard d'Estaing en 1974, achève d'installer le dispositif. De fait, le Conseil ne peut intervenir de sa propre initiative et s'il dispose des moyens juridiques de manifester son autorité il n'en a pas encore l'opportunité. Jusqu'en 1974, seuls le président de la République, le Premier ministre et les présidents des assemblées peuvent demander au Conseil d'exercer son contrôle. Depuis la réforme, cette possibilité est offerte à l'opposition parlementaire puisque 60 députés ou sénateurs suffisent pour que le Conseil soit sollicité et qu'il examine la constitutionnalité d'une loi.

Le Conseil s'impose donc comme une institution essentielle qui rappelle que le texte de référence, le texte fondateur de la démocratie française, reste celui de la « Déclaration des Droits de l'Homme et du Citoyen » de 1789, référence qui assure ainsi une véritable continuité dans l'histoire politique de la France contemporaine.

Actualiser

La démocratie française dans le blanc des urnes

L'article 66 du Code électoral ne distingue pas le vote blanc du vote nul, c'est dire qu'il assimile la volonté clairement manifeste (l'électeur doit « fabriquer » lui-même son bulletin vierge aux dimensions réglementaires. Bel exemple de volonté et d'engagement : voilà bien une *action* !) de ne pas choisir entre les candidats proposés à une simple erreur, un vice de forme portant nullité du vote. En outre, les suffrages blancs ou nuls ne sont pas pris en compte lors de l'évaluation des scores, calculés seulement à partir des suffrages exprimés. Enfin, les analystes semblent ne s'intéresser qu'à l'abstention lorsqu'ils étudient le taux de participation à une consultation électorale. **Le vote blanc est donc l'oublié de la démocratie française...** Pourtant, il progresse et finit par secouer la feinte indifférence des professionnels de la politique, désireux, par là, de le neutraliser.

En effet, aux élections législatives de mars 1993, 1,4 million d'électeurs ont voté blanc ou nul, soit 3,64 % des inscrits et 6,40 % des votants, beau score... Meilleur, par exemple, que celui des Verts ! Mais qui songea alors à la poussée des Blancs ? Or le vote blanc — pour autant qu'on se donne les moyens de le disjoindre du vote nul (on prévoit par exemple sur les machines à voter une touche « vote blanc ») — est lourdement porteur de signification. Il s'agit effectivement d'une manifestation de défiance, voire de rejet, à l'égard de la classe politique dans son ensemble et des candidats investis par les partis. Voter blanc, c'est affirmer à la fois son attachement à la démocratie et ses devoirs de citoyen, tout en contestant le « coup de force » des partis lorsque ceux-ci prétendent, au fond, imposer au peuple ses représentants.

Le vote blanc devient alors plus dangereux que le silence des statistiques ne le laisse paraître : il peut enfoncer un coin douloureux dans l'illusion majoritaire de nombreux élus (ne représentant plus au second tour du scrutin la « majorité » des électeurs). Quelle atteinte au prestige de l'élu ! quelle tâche qui souille alors la légitimité de la représentation démocratique ! Quel serait le poids d'un président élu avec moins de 50 % des suffrages exprimés ? Peut-on mesurer vraiment l'ampleur du déficit symbolique entraîné par la prise en considération de ces votes blancs ? Un seul exemple qui ne laisse pas de faire réfléchir : si les « blancs ou nuls » avaient été comptabilisés au nombre des suffrages exprimés, le traité de Maastricht n'aurait été approuvé que par 49,31 % des votants... Et si la révision du code électoral donnait le signal de la désillusion de la classe politique...

Définir

Le pouvoir absolu

Le *despotès* désigne en grec le souverain qui gouverne par lui seul. Le gouvernement despotique, explique Montesquieu dans *L'esprit des lois,* est le gouvernement d'un seul « sans loi et sans règle (qui) entraîne tout par sa volonté et par ses caprices ». De fait, le despote diffère du monarque en ce que ce dernier ne peut gouverner contre « les lois fondamentales du Royaume » dont sont garants les pouvoirs intermédiaires :

> « Le pouvoir intermédiaire subordonné est celui de la noblesse. Elle entre en quelque sorte dans l'essence de la monarchie, dont la maxime fondamentale est : "Point de monarque, point de noblesse ; point de noblesse, point de monarque.". »
>
> *L'esprit des lois.*

On comprend dès lors que l'expression *despotisme éclairé* n'ait pu avoir cours au XVIIIe siècle où elle aurait été ressentie comme une totale contradiction. La notion de *despotisme éclairé* est une invention du siècle suivant. Voltaire et Diderot employaient les termes de « monarques éclairés » ou de « rois philosophes » pour désigner ces autocrates qu'auraient illuminé les conseils des penseurs des *Lumières.*

Composer

Le despotisme de la Raison, un idéal politique ?

▶ **Se défier du despotisme...**

Il faut se méfier du despote, même « éclairé » ! « Le gouvernement arbitraire d'un prince juste et éclairé est toujours mauvais — écrit Diderot dans *La réfutation d'Helvétius*. Ses vertus sont la plus dangereuse et la plus sûre des séductions... » En effet, elles vont endormir la vigilance du peuple, lui donner le goût de la passivité heureuse, du bonheur dans la servilité : « C'est ainsi que l'on tombe dans un sommeil fort doux, mais dans un sommeil de mort, pendant lequel le sentiment patriotique s'éteint, et l'on devient étranger au gouvernement de l'Etat. » Voilà pourquoi le XVIIIᵉ siècle préfère assurer la promotion du monarque éclairé (cf. **Définir**) et fait sienne la maxime de l'empereur Antonin :

> « Il faudrait pour le bonheur des états que les philosophes fussent Rois ou les Rois philosophes. »

Roi-philosophe ou philosophe-Roi, ce n'est pourtant pas la même chose !

▶ **... Pour promouvoir le philosophe-Roi...**

Il semble plus « naturel » de prétendre **éduquer le Prince qu'installer le philosophe sur le trône**. C'est à cela que s'emploie Fénelon dans les *Aventures de Télémaque* (créant le personnage de Mentor, précepteur du jeune prince d'Ithaque), c'est de cela dont rêve Voltaire en se rendant à l'invitation de celui qu'il appelle le « Salomon du Nord », Frédéric de Prusse... Les résultats demeurent incertains... Néron eut son Sénèque et ne devint pas Marc Aurèle... Les princes s'ils héritent du trône ne reçoivent pas nécessairement le legs de bonnes dispositions à philosopher... Tous les hommes ne sont pas faits du même métal, dirait Platon...

Précisément, pourquoi ne pas installer au pouvoir ceux dont il apparaît qu'ils sont de nature aurifère ? Le Socrate de *La République* imagine ainsi des philosophes à la tête de la Cité idéale qu'il reconstruit par une nuit de fête dans le port du Pirée. Or Socrate découvre en même temps que la philosophie et la politique ne font pas bon ménage. Les philosophes n'ont pas le désir de gouverner, ne serait-ce que parce que leur amour de la vérité les détourne du mensonge, même le plus noble, qu'exige la direction des affaires publiques. D'ailleurs le *Timée* n'explique-t-il pas que les meilleurs gouvernants sont ceux qui ressemblent à la déesse vierge Athéna, déesse de la Raison et de la Guerre, sans désir mais tout entière calculatrice ?

> ▶ ... C'est méconnaître l'incompatibilité de la politique et de la philosophie.

Gouverner c'est effectivement mentir. Platon dans *La République* fait du noble mensonge politique une nécessité. Or ce mensonge apparaît double. Il consiste, d'une part, à faire prendre aux gouvernés une partie pour le tout, identifier la terre nourricière à une seule partie de celle-ci : sans ce mensonge, point d'amour de la patrie, point de patriotisme. D'autre part, le philosophe-Roi devra parvenir d'une façon ou d'une autre à justifier l'inégalité sociale, du moins à la rendre acceptable. Bref, pour reprendre l'un des éléments célèbres de l'allégorie de la caverne, le politique doit être un « montreur d'ombres », il doit nécessairement jouer avec les apparences. Le prince, qu'il soit philosophe ou non, doit accepter d'être du côté du paraître.

> « Il n'est donc pas nécessaire à un prince de posséder toutes les vertus énumérées plus haut ; ce qu'il faut, c'est qu'il paraisse les avoir. »
>
> Machiavel, *Le Prince.*

A p p r o f o n d i r

L'esprit des Lois
CHARLES DE MONTESQUIEU (1748)

La typologie des gouvernements que propose *L'esprit des lois* oppose République, Monarchie, Despotisme. Mais ce dernier occupe une place à part dans la réflexion politique comme dans l'imaginaire de Montesquieu.

En effet, le despotisme est pensé sur le mode de la hantise d'une véritable incarnation du Mal : « Montesquieu — écrit R. Aron — montre dans le despotisme pour ainsi dire le mal politique absolu. » *(Les étapes de la pensée sociologique)*. Là où République et Monarchie présentent chacune à sa manière un système de protection des libertés individuelles, le despotisme donne l'effrayant spectacle de la concentration des trois pouvoirs (exécutif, législatif, judiciaire) entre les mains d'un seul, celui-là même qui ne gouverne que suivant les règles de son plaisir.

Mais le gouvernement despotique n'est pas seulement un repoussoir au service d'une « métaphysique politique », c'est surtout une menace.

République et Monarchie ne sont pas à l'abri de la corruption. Le despotisme, c'est effectivement pour Montesquieu le destin dégénéré du Politique. Il y a ainsi une terrible logique inscrite dans les appétits de conquête des différents Etats. Montesquieu a montré que la viabilité d'une République était liée à la petite superficie de son territoire, que la Monarchie convenait à des pays moyens, enfin que seul le despotisme pouvait assurer le gouvernement d'espaces démesurés, d'étendues immenses : seul il repose sur la crainte, indispensable au contrôle de tels territoires. Dans ces « déserts de la servitude » (R. Aron), le despote est redouté, car toujours invisible, éternellement absent. Il sait que la terreur domine plus efficacement ceux qu'il ne peut tenir sous son autorité que par des représentants. « La peur règne sur des millions d'hommes, explique R. Aron, à travers ces étendues démesurées, où l'Etat ne peut se maintenir qu'à la condition qu'un seul puisse tout. » Une politique de conquêtes, parce qu'elle modifie l'étendue des territoires contrôlés par le monarque, conduit ainsi inévitablement celui-ci au despotisme et la monarchie à sa perte. L'exemple de Rome est pour Montesquieu éloquent : la démesure de l'Empire conduit l'empereur à se comporter le plus souvent en « despote oriental » et à oublier qu'il gouverne « au nom du Sénat et du Peuple de Rome ».

Certes, pour le premier penseur des Lumières, le despotisme demeure une réalité si lointaine (localisée en Orient) qu'elle ressemble souvent à un fantasme. Mais l'auteur de *L'esprit des lois* est aussi celui des *Lettres persanes* où un homme plein d'esprit, de bon sens et d'humour, Usbek, se révélait le plus terrible des despotes en son sérail, faisant de son absence et de la cruauté déléguée à ses eunuques les principes d'une domination absolue. Le despotisme est-il si loin de nous quand les despotes en puissance sont si familiers ?

Actualiser

Du « Roi nègre » au dictateur sud-américain : images brouillées du despote aujourd'hui

L'imagination enfiévrée de l'auteur des *Lettres persanes* localisait le siège du despotisme en Orient, l'Orient moyen, celui des sérails interdits et des brûlants déserts. Les Occidentaux préfèrent aujourd'hui tourner leurs regards horrifiés vers l'Afrique noire ou l'Amérique du Sud, où le « Roi nègre » et le général putschiste donnent deux visages modernes au despotisme du XVIIIe siècle.

L'un et l'autre semblent gouverner « sans loi et sans règle », point de frein à la mégalomanie du premier (qui à l'instar de Bokassa Ier peut aller jusqu'au couronnement et à l'Empire), point de limite à la cruauté froide du second (escadrons de la mort...). L'un et l'autre apparaissent comme les conséquences malheureuses d'une immaturité politique caractéristique des pays en voie de développement, servant peut-être alors de repoussoirs quasi institutionnels aux états de Droit. L'un et l'autre enfin trouvent à s'incarner dans des personnages typés jusqu'à la caricature.

Pourtant ces deux archétypes du despotisme tels que l'actualité les décline depuis vingt ou trente ans semblent en décalage avec le discours d'un Montesquieu sur la réalité du gouvernement despotique. La caricature et la notoriété ne vont pas au despote que redoute l'auteur de *L'esprit des lois*. Certes Ubu effraie mais il fait aussi sourire, trop grotesque pour être vraiment craint, trop regardé pour terroriser. Le vrai despote ressemble davantage à « Big Brother », ce grand frère qui n'en est pas un et qu'Orwell imagine sans visage dans *1984*. Enfin, si Bokassa et Duvalier (« Baby doc », comme on le surnommait) nous semblent des images perturbées, brouillées, dégradées du despote, c'est peut-être aussi parce que nous sommes moins dupes de la politique des nations et que nous savons que ni le « Roi nègre », ni le militaire arrivé au pouvoir ne sont vraiment *libres* de gouverner. Ils n'obéissent pas à leur propre caprice mais reçoivent plutôt la dictée des grandes puissances politiques et financières qui jouent à mettre le masque du despote pour faire oublier, dans l'apparent désordre des passions d'un seul, les calculs et les intérêts qui sont la raison d'un petit nombre. Sans la France pour le soutenir puis l'abandonner, Bokassa eût été peut-être un despote... Mais, finalement, qui était vraiment le despote? Le « Roi nègre »? Ou ceux qui, de Paris, l'utilisaient et le manipulaient?

Définir

L'équerre

Par « Droit » on désigne l'ensemble des normes qui régissent le comportement des membres d'une société donnée. On retrouve l'idée de rectitude dans l'étymologie du mot « norme », en latin l'équerre.

« L'homme a été taillé dans un bois si tordu, écrit Kant, qu'il est douteux qu'on en puisse jamais tirer quelque chose de tout à fait droit. » Le Droit, création artificielle, est-il fait pour redresser la nature « torve » des hommes ? Ou bien en épouse-t-il, lui aussi, les irrégularités ?

Composer

Le Droit peut-il ne pas être juste ?

▶ **La confrontation du juste et du juridique...**

Les sophistes rappellent que tout ce qui est humain est artificiel. Le droit est une création des hommes, c'est par conséquent un artifice et une convention. C'est pourquoi il est variable. Or la notion du juste renvoie à l'idée de conformité invariable par rapport à la norme, pour les Grecs, la Nature. Les sophistes expliquent donc que le droit est contre nature : « La loi, tyran des hommes, dit Hippias dans *Protagoras* de Platon, oppose sa contrainte à la nature. » La loi qui égalise dans la Cité les hommes entre eux, développe Calliclès dans *Gorgias,* est même injuste, le seul Droit conforme à la Nature étant le droit du plus fort !

La réponse d'Aristote aux sophistes s'articule en deux points. D'une part, il s'agit de rappeler que l'artifice n'est pas contre nature, puisqu'il est dans la nature de l'homme d'en produire. La cité étant, en outre, le lieu naturel de l'humanité, on imagine mal comment le Droit qui la structure pourrait être pensé hors de tout lien avec la Nature. Ainsi le juste naturel règle naturellement le juste légal.

Deuxièmement, la Nature qui apparaît bien comme la source du juste ne ressemble en rien à ce chaos de violence que les sophistes décrivent. La loi du plus fort n'est pas la loi de la Nature. Cette dernière se présente au contraire comme un ordre, chacun y trouve son « tèlos », sa finalité, ou s'en approche.

Par conséquent, on peut dire que le juste politique cesse d'être juste lorsque précisément le juste naturel cesse de régler le juste légal. Etablir la loi du plus fort dans la Cité, voilà qui est injuste, c'est-à-dire contre nature.

▶ ... Rend-elle vain l'examen de la finalité du droit ?

L'argumentation d'Aristote s'effondre avec la modernité. Pour les Modernes, en effet, la Nature n'apparaît plus comme un système finalisé. Elle semble au contraire dénuée de toute signification, chaotique, trompeuse...

Ne pouvant plus se fier à cette Nature, on fait alors de l'Homme la norme, la source normative du Droit. Mais qu'elle est cette nature humaine grâce à laquelle je saurai ce qui est juste et ce qui est injuste ? L'énoncé de ses caractères semble également frappé du sceau du relativisme (voir Droits de l'homme).

Les contenus peuvent varier, il y a toutefois quelque chose en l'homme qui se soumet au droit qui ne saurait varier : son aspiration à l'Universel.

Par la loi, quel qu'en soit le contenu, je découvre la nécessité d'une règle qui soit commune à tous, universelle, c'est-à-dire qui dépasse les intérêts particuliers et égoïstes. En se soumettant à la loi, les hommes apprennent à résister aux inclinations sensibles, ils se préparent à la moralité.

On peut dire ainsi que le droit ne manque jamais d'être juste, indépendamment de la source attribuée à la justice, parce qu'il donne aux hommes la mesure de la dimension éthique de leur existence.

Approfondir

Théorie pure du droit
HANS KELSEN (1934)

Hans Kelsen, juriste autrichien de renom, tente entre les deux guerres de fonder une véritable science du Droit. Son ambition est tout entière perceptible dans les accents kantiens du titre qu'il choisit pour son œuvre majeure : « Théorie *pure*... » comme cette « Raison pure » dont Kant entreprit la critique. La démarche critique de Kant consiste à établir la limite de ce que nous pouvons connaître et au-delà de laquelle il ne s'agit plus que de simples spéculations, réflexions parfois utiles mais qui ne sauraient être des jugements de connaissance. De la même façon, Kelsen veut établir une connaissance ferme du Droit, indépendamment de tout jugement de valeur. Il s'agit d'expulser toute prise de position subjective, c'est-à-dire s'interdire de s'interroger sur la justice ou l'injustice de telle ou telle loi.

Kelsen s'efforce d'abord de caractériser **le rapport que la règle de droit énonce entre les choses.** Car le Droit c'est avant tout un discours qui nous lie de façon particulière aux choses. Or l'énoncé juridique, explique Kelsen, diffère sur ce point de l'énoncé scientifique. Ce dernier fonde une relation de causalité. Le scientifique dit : « Si A, alors B. » Le phénomène B n'est appréhendé que par rapport au phénomène A, sa cause. Le juriste formulera par contre la relation A/B sur le mode de l'imputation : « Si A, alors il faut B. » Les règles de droit ne lient donc jamais A et B du point de vue de leur être, mais selon leur « devoir-être », cette notion se trouvant donc être le champ d'imputation du Droit.

Comment tout système juridique est-il structuré ? Après avoir établi la nature de l'énoncé juridique, Kelsen rappelle qu'il faut distinguer, dans le Droit, différents types de normes, et des normes qui apparaissent toujours hiérarchisées. La règle fondamentale, c'est la *Constitution,* d'elle dépendent les *lois* qui règlent les *décrets,* lesquels s'imposent aux *arrêtés*. Ce qui est important, dans cette hiérarchie des normes, c'est l'idée novatrice selon laquelle l'autorité d'une règle ne dépend pas de celui qui la promulgue ou qui l'inspire. Seule la situation qu'occupe la règle dans le réseau lui confère ou lui retire son autorité.

Actualiser

Le déclin du Droit ?

Depuis deux ans, le Conseil d'Etat alerte les pouvoirs publics (rapports annuels de 1991 et 1992) à propos d'un **phénomène troublant « d'inflation juridique »** que cinq chiffres permettent aujourd'hui de mesurer.

- En trente ans, le nombre annuel des lois votées au Parlement français a augmenté de 35%, celui des décrets a connu une hausse de 25%.

- Ainsi, au début de la Ve République, chaque année, en moyenne, voyait 80 lois nouvelles enrichir le dispositif juridique de la France. Ce chiffre à présent est passé à 110.

- En 1992, on pouvait donc recenser 7 500 lois applicables sur notre territoire (compte non tenu des lois modificatives ou portant approbation de traités et de conventions internationales) et 82 000 décrets réglementaires en vigueur.

- A titre d'exemple et sur les dix dernières années, le volume total des circulaires du ministère de l'Education nationale a crû de plus de 50%.

- Enfin, chacune de ces circulaires est passée d'une longueur moyenne de 3 à 6 pages.

Cette « inflation réglementaire » est évidemment explicable. L'intervention croissante de l'Etat dans tous les domaines de la vie sociale, le développement des relations internationales et le mouvement de décentralisation engagé depuis une vingtaine d'années rendent peut-être la prolifération inévitable. Celle-ci toutefois marque davantage un déclin du Droit qu'un véritable succès.

En effet, l'inflation dévalorise ce qu'elle multiplie. L'impact de la loi auprès des citoyens s'affaiblit et la profusion finit par nuire à la cohérence de l'ensemble du système juridique. Mais il y a sans doute plus grave : ces textes trop nombreux rendent le Droit illisible à l'immense majorité des justiciables. S'il faut consulter un juriste à chacun des moments de la vie quotidienne où le citoyen est incité à passer contrat, s'il faut sans cesse rappeler les droits et les devoirs de chaque individu, nous ne sommes plus très loin de l'univers imaginé par Kafka qui fait dire à l'un des personnages du *Procès* : « Quel supplice que d'être gouverné par des lois qu'on ne connaît pas ! »

Dès lors, si « nul n'est censé ignorer la loi », qui se soucie à présent de savoir si la loi n'ignore pas celui qu'elle est censée protéger ?

Définir

La victoire du droit naturel

Le 11 juillet 1789, La Fayette présente à l'Assemblée un « projet de déclaration des droits naturels de l'homme ». Le principe en est adopté le 14 juillet et la déclaration telle que nous la connaissons sera rédigée au cours des séances du 20 au 26 août.

Les sources historiques sont évidemment anglo-saxonnes : influence des philosophes britanniques (Locke, en particulier) et de la déclaration d'Indépendance des Etats-Unis d'Amérique du 4 juillet 1776 (« Nous tenons pour évidentes par elles-mêmes les vérités suivantes : tous les hommes sont créés égaux ; ils sont doués par le créateur de certains droits inaliénables ; parmi ces droits se trouvent la vie, la liberté et la recherche du bonheur. »)

L'originalité du texte français vient de ce qu'il s'impose, à partir de 1791, en préambule et titre premier de la constitution. C'est bien dire, par conséquent, qu'une notion, celle de droits inhérents à la nature humaine, qui appartient au droit naturel (le droit « théorique », idéal, fondé sur une conception de la nature de l'homme), fait irruption dans le champ du droit positif (l'ensemble des lois et des coutumes qui régissent réellement une société donnée). Les droits de l'homme prévalent même désormais, on leur reconnaît une antériorité et une préférence sur les droits du citoyen : le droit naturel investit le droit positif.

Composer

La déclaration des Droits de l'homme exprime-t-elle une vérité philosophique ?

▶ **Les Droits de l'homme sont-ils un artifice...**

● **Une notion juridique.**

La notion de droits de l'homme est avant tout une notion juridique empruntée au domaine du Droit naturel dont l'enseignement se répand en Europe à partir du XVIIᵉ siècle. Il établit les principes éternels et immuables qui dérivent de la nature humaine et s'oppose au Droit positif qui définit l'ensemble des normes de conduites établies dans une société donnée à une période précise de l'Histoire. Le droit positif est donc changeant, relatif et divers.

● **Un acte politique.**

La déclaration est donc avant tout un acte politique (elle subit l'impulsion de La Fayette et Sieyes qui sont des hommes politiques et non des philosophes). Ne serait-ce que parce qu'il s'agit d'une déclaration — on rend public —, elle concerne la Cité dans son ensemble. Ensuite elle réalise la coordination de deux domaines du Droit jusqu'alors nettement séparés (comme le réel et l'idéal), faisant dépendre les droits des citoyens des droits de l'homme, elle prétend arracher la vie politique à la mutabilité de l'Histoire pour la fixer dans la pérennité de la nature humaine.

● **Une apparence de vérité philosophique.**

La forme est donc « philosophique », le vocabulaire utilisé l'est également. On peut alors se demander si les déclarants n'ont pas utilisé la philosophie, voire la métaphysique, pour donner une dimension universelle à un texte qui défend au fond des intérêts bien particuliers (reproches qu'adressera Marx en particulier, cf. *L'idéologie allemande*). Ne s'agit-il pas, d'une manipulation digne des sophistes les plus habiles ?

▶ **... ou bien une idée directrice pour la Raison ?**

● **Préjuger de la nature humaine.**

De fait, qui peut prétendre connaître la nature humaine ? Les droits naturels de l'homme ne peuvent guère reposer que sur des préjugés. D'ailleurs il y a plusieurs déclarations des droits de l'homme sous la Révolution, et d'une déclaration à l'autre les contenus évoluent. L'égalité, absente en 1789, apparaît dans la déclaration de 1791 et prend la place laissée vacante par « la résistance à l'oppression ». Elle occupe le premier rang qu'elle perd dans celle de 1795 (an III) au profit de la liberté. En outre cette nature humaine est si complexe que quatre caractères ne suffisent pas à la définir... Des arguments qui rendent suspecte la dimension universelle de ces droits.

- **Tracer un horizon pour le politique.**

Pourtant au-delà des contenus, toujours incertains, demeure la forme de ces droits, c'est-à-dire l'exigence faite désormais publiquement au politique d'évaluer son action par référence à l'Homme. Ces droits de l'Homme sont évidemment une idée — ils n'énoncent pas une connaissance — destinée à réguler, à diriger la réflexion politique. Bref, dessinent un horizon grâce auquel désormais le législateur saura s'orienter. Voilà pourquoi Kant salue l'événement par ces mots enthousiastes :

> « Pareil phénomène dans l'histoire des hommes ne se laissera plus jamais oublier, car il a révélé dans la nature humaine une disposition au progrès et une capacité de le réaliser telles qu'aucun homme politique, considérant le cours antérieur des choses n'eût pu le concevoir. »

Doctrine du droit.

A p p r o f o n d i r

Considérations sur la Révolution de France
EDMUND BURKE (1790)

Rédigées « à chaud » par un membre de la Chambre des communes britannique, lié au Parti whig, **ces « considérations » dénoncent le caractère abstrait des droits de l'homme,** proclamés en France en 1789. Ce goût pour l'abstraction dont témoigne la Déclaration éloigne celle-ci de la tradition juridique anglo-saxonne dont pourtant elle se réclame. Les révolutionnaires français ne font pas du Droit mais de la métaphysique en prétendant définir la nature humaine. Mais c'est une métaphysique « simpliste » qu'ils développent, méconnaissant la complexité de cette nature même de l'homme sur laquelle ils veulent régler leur nouveau gouvernement : « La nature de l'homme est complexe, les fins de la société le sont au plus haut degré ; aussi aucune conception ou organisation simple du pouvoir ne peut-elle convenir ni à la nature de l'homme, ni à celle de ses affaires. »

Les déclarants inventent de « faux droits » et oublient les « vrais ». Burke rappelle en effet que tous les hommes ont bien des droits (à la justice, à l'éducation, à la protection des moyens qui leur permettent de vivre) mais **ce sont des droits qui n'ont de sens que par la dimension sociale de l'existence des hommes.** Les droits de 1789, explique Burke, sont absurdes parce qu'ils dérivent du postulat selon lequel l'âme humaine n'a pas changé avec l'Histoire :

> « En vérité, dans cette masse énorme et compliquée des passions et des intérêts humains, les droits de l'homme sont réfractés et réfléchis dans un si grand nombre de directions croisées et différentes, qu'il est absurde d'en parler encore, comme s'il leur restait quelque ressemblance avec leur simplicité primitive... »

En un mot, Burke reproche aux émules de Rousseau et de Locke de faire de la nature le synonyme de l'essence, quand elle ne peut manquer d'apparaître comme le résultat d'un long développement historique.

Le mérite de l'analyse de Burke est d'ouvrir le champ aux critiques du XIXe siècle qui opposeront au caractère formel des droits de l'homme la nécessité des **droits réels,** ceux dont le législateur a pu garantir l'exercice.

Actualiser

Un universel bien relatif

Marx dans *La question juive* avait montré que les Droits de l'homme de 1789 étaient ceux, très particuliers, de « l'individu séparé de la communauté, replié sur lui-même, uniquement préoccupé de son intérêt personnel et obéissant à son arbitraire privé ». Le caractère universel de ces droits lui paraissait donc fort « relatif » ; ce sont en fait les droits de l'homme tels que le conçoit la bourgeoisie.

Aujourd'hui, c'est à l'échelle planétaire — et non plus celle d'une société où s'affrontaient prolétaires et bourgeois — que la question de la relativité des Droits de l'homme est à nouveau posée. Ainsi, au cours de la Conférence mondiale sur les Droits de l'homme qui s'est tenue à Vienne le 14 juin 1993, le secrétaire général de l'ONU, Boutros Boutros-Ghali a déclaré :

> « L'universalité ne se décrète pas et elle n'est pas l'expression de la domination idéologique d'un groupe d'Etats sur le reste du monde. »

Cet avertissement se faisait l'écho de l'acte final de la Conférence régionale Asie - Moyen-Orient - Pacifique Sud du mois d'avril 1993 qui énonçait :

> « L'application des droits de l'homme doit varier selon les pays ou raison des conditions sociales, économiques, historiques et culturelles. »

C'est dire que nombreux sont à présent les Etats du Tiers Monde qui refusent le caractère universel de ces droits, formulés et conçus par des occidentaux favorables au développement d'une société dominée par l'individualisme. Que peut signifier, au sein d'une société holiste, la défense de ces principes, au nom de laquelle les démocraties occidentales prétendent devoir intervenir dans tous les points du globe, au mépris parfois du respect de la souveraineté nationale ?

Les droits de l'homme, via le droit d'ingérence, seraient-ils en train de devenir le moyen du retour de l'impérialisme des anciennes puissances coloniales, masqué par de nobles soucis humanitaires ?

Définir

Prendre le parti de la Nature ?

Militer en faveur d'une politique écologique et mener une politique de l'environnement, ce n'est pas la même chose; un ministre de l'Environnement n'est pas nécessairement un écologiste.

En effet, la racine du mot « écologie » renvoie à *oikos,* la « maison » en grec ancien. La nature semble donc être une demeure pour l'écologiste. Le terme d'environnement évoque par contre, non pas le lieu où logent les hommes, mais plutôt ce qui les entoure. La distinction est essentielle. Pour les écologistes, il s'agit de protéger ce qui nous abrite, un refuge où nous résidons peut-être de façon contingente (la Nature s'est longtemps passée de l'Homme, rien ne permet d'affirmer qu'elle n'en soit jamais plus débarrassée). Pour les défenseurs de l'environnement il importe seulement d'aménager ce que nous situons à notre périphérie. Aussi n'est-il pas abusif de dire que le ministre de l'environnement est, au sens strict, le ministère de l'Anthropocentrisme.

A n a l y s e r

« Plein de mérites, mais en poète,
L'homme habite sur cette Terre. »

HÖLDERLIN

▶ **L'homme est un poète...**
● **L'homme grec.**

Les Grecs furent les premiers à chercher à penser le phénomène de pro-duction, c'est-à-dire le passage d'en état de latence, un état caché, à l'état non caché de la chose dévoilée.

Ce mécanisme de production, les Anciens lui donnèrent le nom de *poiesis.* L'homme dans la nature agit en « poète », c'est dire qu'il a vocation à dévoiler ce qui ne se produit pas spontanément. Le philosophe Aristote distingue ainsi les choses qui sont produites naturellement de celles qui résultent d'une action humaine et qu'on appelle des artifices.

● **Le technicien.**

« Tout faire-venir — écrit M. Heidegger dans la *Question de la technique* — pour ce qui passe et s'avance du non-présent dans la présence, est *poiesis,* pro-duction. » La *poiesis* proprement humaine prend la forme de la Technique. Par la technique l'homme dévoile dans la nature ce qui n'a pu être produit de manière spontanée. Cette activité poétique s'inscrit dans l'ordre naturel des choses, puisqu'il est bien dans la nature des hommes d'être des techniciens.

L'homme fait donc de la Terre sa maison *(oikos)* en agissant en poète.

▶ **... qui devient avec la modernité dangereux.**
● **La technique moderne.**

Par la technique les Anciens achevaient la Nature, se donnant comme une partie au service de tout.

Avec le renversement de la modernité, l'homme ne se soumet plus à la Nature, il s'efforce de la provoquer, convoquant à son service toutes les Sciences de la Nature. Par la technique moderne, la Nature est alors mise en demeure de livrer une énergie que l'homme pourra accumuler. C'est une violence qui est alors faite à la Nature. « La technique arraisonne la nature — explique Heidegger —, elle l'arrête, elle l'inspecte et elle l'ar-raisonne, c'est-à-dire la met à la raison... »

• **Le poète destructeur.**

La Nature est désormais ce qu'Heidegger nomme un « fonds » dans lequel l'Homme moderne puise. La technique antique dévoilait les finalités de la Nature, la technique moderne dévoile la Nature comme un fonds. La Nature se trouve n'être plus qu'un simple moyen. La partie — l'espèce humaine — domine le tout.

Le danger vient de ce que l'Homme lui-même fait partie du fonds qu'est devenu la Nature. Et de fait la technique moderne tend à faire de l'homme un instrument, pour ne pas dire un matériau. La technique moderne se retourne alors contre son utilisateur et loin de le libérer, l'aliène et le détruit peu à peu. Le triomphe du sujet tourne au désastre, le « maître et possesseur de la Nature » est à son tour possédé, l'Humanisme devient inhumain.

On perçoit clairement ce que doivent les radicaux de l'écologie à la lecture de Martin Heidegger.

Approfondir

Le nouvel ordre écologique
LUC FERRY (1992)

L'Humanisme, celui du XVIᵉ et du XVIIᵉ siècle, ne fut-il qu'une parenthèse dans l'Histoire des Idées que l'Ecologie radicale cherche aujourd'hui à fermer ? C'est la question qui, selon Luc Ferry, se pose à tous les tenants d'une politique de la Nature, dont on peut mesurer les excès à travers les déclarations de ceux que l'on pourrait appeler les « écologistes égocentriques ».

Pour ceux-ci, l'Humanisme n'a été qu'un « coup de force » réalisé par l'homme contre la Nature. Armés des sciences et des techniques, les Occidentaux se sont rendus « comme maîtres et possesseurs de la Nature », pour reprendre la formule sur laquelle Descartes conclut le *Discours de la méthode*. La partie s'est insurgée contre la totalité : l'Homme, un élément parmi tant d'autres, prétend régir ce dont il est pourtant organiquement dépendant. C'est lui qui appartient à la Nature et non l'inverse. Les Humanistes en inventant la modernité (qui est rupture avec la tradition) font de l'Homme la valeur et la source de toute morale. Ils refusent ainsi l'héritage des Anciens qui voyaient dans la Nature le modèle unique à imiter, tant dans le domaine de l'Art et de la production des objets que dans celui des artifices particuliers que sont le droit ou l'économie.

Les « écologistes écocentriques » souhaitent remettre l'Homme à sa place et faire passer l'intérêt de la planète Terre avant celui de ceux qui n'en sont qu'une seule espèce d'habitants. La Nature est malade de l'homme (pollutions, désertifications, déséquilibres biologiques, etc.), il faut la guérir en sortant de l'Humanisme. A l'origine du mal, l'idée selon laquelle les hommes valent davantage que les animaux ou les plantes. Il convient donc de leur attribuer des droits dont ils ont été longtemps privés. Plus généralement, il devient nécessaire de « passer contrat » avec la Nature, sur le modèle de l'hypothétique contrat social cher au xviiie. Michel Serres exprime clairement cette exigence dans *Le contrat naturel* : « En fait, la Terre nous parle en termes de forces, de liens et d'interactions, et cela suffit à faire un contrat. Chacun des partenaires en symbiose doit donc, de droit, à l'autre la vie sous peine de mort. »

Luc Ferry montre alors que les ultras de l'écologie réclament davantage que cette reconnaissance réciproque. Ils recherchent **la soumission de l'espèce humaine, voire sa réduction massive.** Derrière le souci de restaurer la Nature se dissimule mal une haine de l'homme qui pourrait mener aux pires extrémités. John Lovepack estime à 500 millions le nombre idéal d'êtres humains sur la Terre pour que celle-ci ne souffre pas de « l'aptitude destructrice » de l'espèce. Et l'Américain William Aiken de poursuivre : « C'est le devoir de notre espèce, vis-à-vis de notre milieu, d'éliminer 90 % de nos effectifs. »

Luc Ferry cite avec précision et un luxe de détails le discours de l'extrémisme écologiste, ne serait-ce que pour rappeler que l'Humanisme est chaque jour à défendre et à reconstruire.

Actualiser

Sans frontières ?

La Nature ignore les frontières que l'Histoire a fixées, c'est aussi ce que nous rappellent aujourd'hui les pollutions et les destructions présentées par les médias comme des « catastrophes écologiques ». La prise de conscience a peut-être commencé en 1967 avec le naufrage du *Torrey Canyon*. L'*Amoco Cadiz* en 1978 et l'*Exxon Valdez* en 1989 ont confirmé l'idée selon laquelle les courants qui portent les hydrocarbures déversés par les pétroliers sinistrés ignorent la géographie politique et les convenances du droit international. Mais c'est à la suite du drame de Tchernobyl, en 1986, et de l'observation d'un nuage radioactif survolant l'Allemagne et la Suède que **la transnationalité des pollutions est enfin apparue comme une évidence.** Aujourd'hui, la communauté internationale se dit concernée par la concentration de gaz carbonique dans l'atmosphère qui provoque un réchauffement de la calotte glacière et partant une élévation du niveau des mers. De la même façon, nul ne peut à présent laisser au seul Brésil le soin de guérir le « poumon malade » que constitue la forêt amazonienne.

La Nature en danger rendrait-elle solidaires des nations qui se sont si longtemps affrontées ou ignorées ? Il y a urgence, il y va de la survie non seulement des arbres et des bêtes, mais aussi des hommes : « Nous ne connaîtrons plus, au sens de la Science — écrit Michel Serres en 1990 dans *Le contrat naturel* —, nos industries ne travailleront ni ne transformeront la face et les entrailles pacifiques du monde, comme nous le fîmes : la mort collective veille à ce changement contractuel global. »

Pourtant, le sommet de la Terre à Rio de juin 1992 a permis de mesurer de larges divergences, là où l'on pouvait attendre une parfaite unanimité. Les nations ne sont pas égales devant le phénomène de pollution et si les Occidentaux ressentent la nécessité de réagir à l'échelle de la planète, il ne faut pas oublier que ces dégradations écologiques sont la conséquence de leur développement technologique et industriel. L'essentiel de l'effort ayant été effectué, ils réclament aujourd'hui que cesse dans le monde entier ce qu'ils ont imposé comme le modèle du Progrès. Bref, **les représentants des**

pays en voie de développement exigent le « droit » de polluer à leur tour, c'est-à-dire le droit de réduire le handicap industriel qui les place toujours par rapport aux Occidentaux en situation de dépendance. La Nature ignore bien les frontières mais la politique écologique demeure soumise à cet axe Nord-Sud qui oriente le sens des grands débats et des conflits internationaux.

D é f i n i r

Instruire ou éduquer ?

L'Education nationale ne s'est pas toujours désignée ainsi. Au xviiie siècle puis au xixe, on préférait l'expression *Instruction publique.* C'est que les verbes instruire et éduquer ne sont pas des synonymes.

Eduquer, c'est évidemment conduire (*ducere,* en latin). Où ? *Ex,* hors de quoi ou de qui ? Par l'éducation que je te donne, je te conduis hors de toi-même. Le mot suppose bien la découverte de l'Altérité, la rencontre avec l'ex-térieur. Mais la découverte est « forcée », conduite de la main du maître. Quand j'éduque, je contrains et à l'échelle d'une Nation qui ne voit les conséquences d'une telle action ?

Instruire, c'est au contraire privilégier l'intérieur *(in),* la construction de l'âme et de la personnalité de chacun (*struere,* en latin, construire). L'instruction vise à donner à chacun les moyens de se constituer de l'intérieur, d'édifier une personnalité autonome...

On comprend que si l'éducation et l'instruction ne s'excluent pas nécessairement, la seconde est la condition nécessaire de la première...

Composer

A quoi sert l'Ecole ?

> ► **L'école n'est pas un simple instrument social...**

Apprendre est une nécessité d'ordre biologique, propre à l'espèce humaine : le petit homme est en effet une créature démunie. Il naît absolument inadapté à la Nature, dépourvu de cet instinct qui pourrait le protéger de l'immédiateté de ses désirs. Dans ces conditions, l'Ecole ne fait pas autre chose que d'organiser à l'échelle de la communauté ce qui s'impose par nature. Elle règle les impulsions par la médiation d'une réflexion qu'elle développe. Une telle fonction pourrait être assumée toutefois par la famille elle-même Réduire l'école, ou le projet scolaire, à une discipline n'est-ce pas alors perdre l'essentiel ?

> ► **... elle assure le développement de la démocratie...**

De fait, Condorcet, en 1792, rappelle qu'il n'est pas possible d'oublier la question du contenu des savoirs si l'on s'interroge sur la « nécessité d'une instruction publique »... En effet, l'Ecole s'impose moins par nature (— et c'est pourtant, à certains égards, la thèse de Kant. Voir *infra*) que pour donner accès à une culture. La réflexion sur l'**institution** scolaire ne se développe qu'à partir du moment où l'idée démocratique progresse de façon significative dans la société. Si l'Ecole est nécessaire, à titre d'institution, c'est moins pour remplacer l'apprentissage naturel de la vie au sein de la famille, que pour le compléter. A l'Ecole, il faut que chacun puisse trouver les moyens qui feront de lui un libre citoyen. L'Ecole apparaît alors comme la pièce maîtresse dans un dispositif de diffusion d'une véritable culture de la démocratie.

> ► **... auquel elle apparaît étroitement liée.**

L'Ecole a donc pour tâche de dépasser la simple régulation des désirs et l'acquisition d'une discipline, pour distribuer ce que Condorcet désigne sous l'expression de « savoir élémentaire ». Dans une démocratie, chaque citoyen doit être en effet capable de lire, d'écrire et de compter afin de pouvoir choisir librement lorsque sa voix est sollicitée. L'ignorance apparaît en effet comme l'allié du despotisme, elle est incompatible avec les aspirations de la nouvelle République. A quoi sert l'Ecole? A développer la démocratie.

La question n'est toutefois pas si simple. Ce « savoir élémentaire », destiné à rendre le citoyen autonome et la vie civile intelligible, n'est pas si élémentaire que cela. Lire, écrire, compter... cela suffit-il pour comprendre les enjeux exacts du débat public? On aperçoit une interaction sans fin entre l'Ecole qui permet un meilleur fonctionnement de la démocratie et celle-ci, devenue plus exigeante et plus complexe, qui requiert de l'Ecole la diffusion d'un savoir toujours plus large.

A p p r o f o n d i r

Réflexions sur l'éducation
EMMANUEL KANT (1780)

L'homme est inachevé, les lois de la nature ne lui suffisent pas pour lui permettre de survivre, il lui faut constituer les siennes. C'est qu'au fond, à la différence de l'animal, l'homme n'a aucun instinct pour assurer spontanément la régulation de ses actions. Il peut donc se nuire en cherchant à assouvir ses désirs. Il est par conséquent nécessaire à chaque homme d'apprendre à maîtriser l'impulsion de ses désirs. C'est à l'Ecole qu'incombe, selon Kant, la tâche d'organiser cet apprentissage indispensable :

> « On envoie tout d'abord les enfants à l'école, non pour qu'ils y apprennent quelque chose, mais pour qu'ils s'y accoutument à rester tranquillement assis et à observer ponctuellement ce qu'on leur ordonne. »

L'Ecole ne diffuse pas le contenu d'un savoir, elle forme l'enfant à le recevoir ultérieurement. Elle ordonne, elle discipline, elle prépare à la patience de la réflexion et à la médiation de la pensée. Il s'agit avant tout d'une institution destinée à préparer le cadre indispensable au développement culturel. L'Ecole a pour vocation l'apprentissage du formalisme. A l'école « une pensée prend le temps de devenir une pensée ».

On l'aura noté, l'Ecole *discipline,* elle ne *dresse* pas, du moins en droit. Le dressage a en effet pour finalité l'exécution d'une tâche ou d'une action déterminée. L'animal est ainsi *dressé à faire quelque chose,* pas l'élève. Peu importe en effet ce que celui-ci apprend, puisque cet apprentissage ne vise pas autre chose que l'habitude de travailler. L'enfant est également mis en situation d'obéissance mais c'est une obéissance à des ordres impersonnels, valables pour tous. La discipline devient alors celle de l'égalité. Soumis à l'Institution scolaire et non à l'arbitraire d'un individu (le précepteur rousseauiste, par exemple), l'élève est alors conduit à dépasser ses inclinations particulières pour accepter l'autorité de l'Universel. Cette pédagogie de l'Universel donne alors à l'Ecole sa dimension morale. Les règles de la scolarité préparent en effet à celles du Droit mais aussi à la Loi morale, impérative et catégorique.

« L'homme est un animal qui a besoin d'une éducation. »

Voilà quelle pourrait être la conclusion de ces *Réflexions sur l'éducation* que l'on emprunte aux *Réflexions sur l'anthropologie,* signe que la pédagogie est avant tout une science de l'Homme.

A c t u a l i s e r

La nation à l'Ecole

Le poids de la machine éducative est en France exceptionnel. Il convient, avant toute réflexion qui pourrait porter sur le statut, la fonction de l'Ecole et les réformes qu'il faudrait apporter, de l'évaluer correctement. La République est parvenue à mettre la nation à l'Ecole même si 52% d'une classe d'âge « seulement » sort du système secondaire le bac en poche.

En septembre 1993, 870 000 enseignants ont « accueilli » 13 millions d'élèves dans les établissements scolaires publics et privés. Cet effort représente, en terme de coût pour la collectivité, 19,7% du budget de l'Etat, soit 262,5 milliards de francs. La dépense totale (coût évalué pour l'Etat, les collectivités locales, les entreprises qui versent la taxe d'apprentissage et les familles qui « financent » au quotidien le travail des enfants) couvre 454 milliards, 6,7% du PIB.

Qu'une entreprise aussi démesurée soit « difficile à gérer » *(sic),* cela n'est guère une surprise. Mais la démesure même du projet d'une « éducation nationale » et les dysfonctionnements inévitables que la presse prend l'habitude de relever à chaque rentrée scolaire ne sauraient occulter la réussite « exemplaire » d'une institution qui semble désormais la seule apte à réaliser, dans une France disparate, une esquisse d'unité nationale. Ce n'est pas un hasard si, aujourd'hui, dans ces « banlieues difficiles » où l'exclusion fait la règle, l'Ecole apparaît encore le plus souvent comme l'unique alternative à la rue, même si elle ne peut être totalement étanche ni protégée. Là où les policiers ne s'aventurent que rarement, l'Etat expédie des fonctionnaires particuliers que sont les enseignants. Ceux-ci ont à présent la tâche difficile — certains disent impossible — de permettre la coexistence dans un espace clos et public de toutes les différences, avec la conviction que cette coexistence est la seule condition nécessaire à la constitution du fonds commun indispensable à une nation. L'intégration nationale passe plus que jamais par l'inscription sur les registres d'une Ecole commune. Le contenu des savoirs s'efface en effet derrière la forme commune que l'Etat impose à leur diffusion. Plus formelle que jamais, l'Ecole n'en a jamais été plus utile. Et son coût exorbitant paraît bien être à la (dé)mesure de l'ambition de maintenir une cohésion dans une société multiraciale, pluri-ethnique mais résolument individualiste.

Définir

« Malgré nous »

Mettre en gage, c'est engager. L'engagement peut alors être entendu comme l'autre nom de la responsabilité. Si je m'engage, je me porte garant, je réponds de l'action, de la cause ou de la personne pour laquelle je décide de m'engager. Il s'agit donc, semble-t-il, d'une manifestation de ma volonté.

Pourtant, cette volonté se révèle rapidement être elle-même involontaire. La particularité de l'engagement tient à ce que personne ne peut d'une manière ou d'une autre s'y soustraire :

« Un homme n'existe pas à la manière de l'arbre ou du caillou — écrit J.-P. Sartre dans *Situations, II* — (...) : il est engagé, il faut parier, et l'abstention est un choix. »

Nous sommes tous engagés et partant responsables du Monde. Sartre réserve cependant à l'écrivain engagé une responsabilité particulière :

« Je dirai qu'un écrivain est engagé lorsqu'il tâche à prendre la conscience la plus lucide et la plus entière d'être embarquée... »

L'engagement de l'artiste en général tient aussi à la conscience d'être engagé. Il *sait* ainsi que se taire est impossible et que le silence est toujours une prise de parole.

Composer

Quand dit-on d'une œuvre qu'elle est « engagée » ?

▶ **L'engagement de l'artiste...**

L'actualité nous a récemment appris qu'on pouvait être écrivain, vivre à la fin du XXᵉ siècle, dans l'une des plus anciennes démocraties d'Europe, et mettre, par la seule publication d'un roman, sa vie en péril : S. Rushdie se cache encore des tueurs venus d'Iran comme naguère Voltaire s'efforçait de rejoindre la Suisse pour échapper à l'Eglise et à la justice du Roi. On ne pardonne pas toujours aux artistes leur liberté d'expression et leur engagement dans les grands débats de leurs temps parce que la liberté de cet engagement s'exprime par une œuvre, plus forte que les discours militants, invincible puisque dépositaire de cet éclat d'éternité que Malraux appelle un anti-destin. Mais dira-t-on seulement d'une œuvre qu'elle est engagée quand elle « prend parti » ? L'arbitre n'est-il pas voué à l'engagement par l'œuvre elle-même ? Ne devrait-on pas dire toujours d'une grande œuvre qu'elle est engagée ?

▶ **... est impliqué par le processus de création artistique...**

Sartre rappelle, dans *Qu'est-ce que la littérature ?,* que « l'écrivain engagé sait que la parole est action ». Si la littérature engagée, c'est la littérature perçue comme une action, alors toute littérature est, par définition, engagée. « La fonction de l'écrivain — ajoute Sartre — est de faire en sorte que nul ne puisse ignorer le monde et que nul ne s'en puisse dire innocent. »

Ainsi, lorsqu'il décrit les conditions de vie des mineurs, Zola s'engage autant que par la défense du capitaine Dreyfus. De la même façon, *Le Rouge et le Noir* est une œuvre profondément engagée, car le miroir que promène Stendhal sur les traces de Julien Sorel réfléchit l'image d'une société ossifiée, repliée sur elle-même. Dans ce monde qui ressemble à un tombeau (la province, le séminaire), ceux qui ont l'énergie de vouloir respirer l'air de leurs passions, ceux-là doivent combattre. **L'œuvre d'art dévoile,** elle ne reproduit pas ce qui est (comme le pensaient les Grecs), elle donne à voir et à sentir ce qui était avant elle inaperçu. Dans le domaine pictural, l'exemple de *Guernica,* présentée à Paris au Pavillon républicain de l'Exposition internationale, est significatif. Le tableau montre à une opinion (peu désireuse d'ouvrir les yeux en 1937) l'horreur de la guerre d'Espagne. Ces corps éclatés, ces membres que semble disproportionner la douleur, cette mêlée enfin d'où l'on ne distingue plus les hommes des bêtes, rendent sensible la détresse d'un peuple. Au-delà du bombardement du petit village espagnol, c'est l'atrocité de tout un siècle qui est représentée, un siècle « noir et gris ».

▶ **... qui dévoile le monde.**

Bien-sûr, une œuvre est engagée lorsqu'elle exprime un parti pris et s'intègre dans une lettre ouvertement menée par son auteur. Mais cette perception de l'art engagé est beaucoup trop restrictive. Elle feint d'ignorer que toute œuvre est un acte de dévoilement du réel et que l'artiste ne ressemble pas à Zeuxis, ce peintre grec qui représentait de façon si réaliste les grains de raisin sur ses fresques que les pigeons venaient s'y briser le bec. Il n'y a pas d'œuvre qui ne trouve sa satisfaction dans un engagement par rapport au contexte qui l'a vu naître. C'est que, en retournant la perspective, « la littérature (l'art) d'une époque, c'est l'époque digérée par sa littérature (son art) », comme le confia Sartre à Madeleine Chapsal. L'engagement apparaît comme ce mécanisme de digestion, d'appropriation du réel, « biologiquement » indispensable à une œuvre d'art !

A p p r o f o n d i r

Les châtiments
VICTOR HUGO (1853)

A peine le coup d'Etat du 2 décembre 1851 a-t-il eu lieu que Victor Hugo quitte la France pour un long exil (il ne rentre à Paris qu'en 1870), forcé à son début, très rapidement volontaire. Napoléon III trouve en effet le « solitaire » de Guernesey trop encombrant hors des frontières et le presse à plusieurs reprises de revenir. Mais Hugo a compris que cette proscription va faire de lui le poète gigantesque qu'il rêve d'être, en le hissant au niveau d'un adversaire apparemment plus puissant : le Prince. En choisissant le Peuple contre le Pouvoir, il engage l'écrivain dans un combat qui ne saurait être que celui de la justice. Voltaire avait défendu des victimes singulières de l'intolérance religieuse, Hugo défend le Peuple français tout entier. **Il invente l'écrivain engagé,** un *nouveau type* d'artiste solidaire de ceux qu'il faut appeler désormais « Les Misérables ».

Les Châtiments ouvre la bataille. Cette œuvre de plus de six mille vers est structurée selon un plan qui va de la nuit (« Nox », titre de la première partie), celle du coup d'état liberticide, à la lumière (« Lux »), celle qu'on espère voir le jour de la chute du Prince honni. Car Hugo a distribué les rôles. Napoléon incarne le Crime et par antithèse le poète la vertu. De fait, le texte est toujours violent, injurieux et méprisant pour celui qu'on appelle à présent Napoléon-le-Petit :

> « Ce parvenu, choisi par le destin sans yeux,
> Ainsi, lui, ce glouton singeant l'ambitieux,
> Cette altesse quelconque habile aux catastrophes,
> Ce loup sur qui je lâche une meute de strophes... »

Le parti du crime.

Hugo fait feu de tout bois. Il s'empare de l'épisode le plus pathétique, la mort d'un jeune garçon de 7 ans, au cours de la nuit du 4 août. Le petit Boursier, d'innocente victime d'une balle perdue, devient le symbole d'une toute jeune République assassinée. L'effet est renforcé par le dépouillement grave d'un vers qui sonne comme le froid rapport d'un médecin légiste :

> « L'enfant avait reçu deux balles dans la tête. »

Souvenir de la nuit du quatre.

Toute la rhétorique et la verve du poète entrent au service d'un combat. Que le ton soit satirique, pathétique ou épique, la teneur du discours reste la même : ailleurs, loin de Paris un seul homme résiste... *Ultima verba,* l'un des derniers textes du recueil le confesse :

> « Si l'on est plus de mille, eh bien, j'en suis ! Si même
> Ils ne sont plus que cent, je brave encore Sylla ;
> S'il en demeure dix, je serai le dixième ;
> Et s'il n'en reste qu'un, je serai celui-là. »

L'écrivain engagé, c'est bien cet irréductible. Hugo en forge le mythe et entre du même coup au Panthéon. De son combat nul doute qu'il est sorti victorieux. Ce ne sont pas tant les funérailles nationales (qui lui sont faites en 1885) qui l'indiquent que l'exécrable réputation qui n'en finit toujours pas d'accompagner le Second Empire.

Actualiser

Devenir des lâches

On ne naît pas lâche, on le devient... peut-être en regardant un peu trop régulièrement les actualités télévisées... Il y a là en effet une terrible logique du non-engagement dans laquelle la multiplication des images du monde nous installe. Si nous sommes effectivement responsables de tout ce qui advient, dans quelle situation nous place le spectacle quotidien de notre impuissance ? Comment croire encore au fataliste « On n'y peut rien » ? Ce que les actualités du Journal télévisé me font savoir, ce n'est pas tant « ce qui se passe » que mon désir grandissant de « ne pas le savoir ».

Car Sartre l'avait expliqué avec conviction : ma liberté est sans limite, elle me rend absolument responsable. Il n'y a rien que je ne puisse décider d'effectuer :

> « N'est-ce pas moi qui décide du coefficient d'adversité des choses et jusque dans leur imprévisibilité en décidant de moi-même. »
>
> *L'être et le néant.*

On l'a vu au plus fort de la crise bosniaque où la découverte du malheur et de la guerre n'était conjurée que par des actes aussi symboliques que dérisoires (allumer une bougie !). Aussi les Européens se sont-ils aperçus de ce qu'ils devenaient. La télévision leur renvoyait (à dessein ou non) le reflet d'une lâcheté qu'on n'avait pas montré en 1938, faute de moyens de diffusion... Au « lâche soulagement » (selon la formule de Léon Blum après Munich) a succédé l'impossible soulagement devant la représentation quotidienne d'une lâcheté, devenue telle parce que se refusant au cynisme ou à la pure indifférence.

Chaque soir, nous apprenons un peu mieux à devenir des lâches, parce que **nous communions dans la condamnation d'une détresse que nous ne voulons pas soulager.** Mais que pourrions-nous faire ?

Sinon laisser le remords, la mauvaise foi et la mauvaise con nous bourreler l'âme? L'efficacité n'est pas de mise, c'est l'ac et seulement l'action qu'il faut évaluer dans son principe. Qu'in porte si ma volonté isolée ne peut pas grand chose, elle a tout de même le pouvoir de me donner accès à une authenticité que vingt-cinq années de passivité télévisuelle ont escamotée. Ou bien alors dire que de cette souffrance-là je n'ai rien à dire et qu'on cesse dans ces conditions de me la montrer... C'est oublier que les images aussi sont des produits de consommation qui ne sont offerts que pour répondre à une demande...

Définir

Un cadre pour la Nation ?

L'Etat majuscule, c'est cette structure juridico-politique dont la fonction consiste à régir un ensemble d'hommes qui constitue une nation. Eric Weil précise même en insistant sur la dimension nécessairement historique de l'Etat :

> « L'Etat est l'ensemble organique des institutions d'une communauté historique. »
>
> *Philosophie politique.*

En toute rigueur, le philosophe disjoint la notion d'Etat de celle de nation. En effet, l'histoire politique d'un peuple tient le plus souvent aux difficultés rencontrées par les hommes pour ajuster l'une à l'autre la réalité nationale et l'organisation étatique. Ainsi, l'originalité de la France réside en ce que l'Etat y a précédé la nation. L'Etat français commence effectivement à se constituer entre le xe et le xiiie siècle : la République n'est que l'aboutissement d'un long processus et l'idée de nation qu'elle impose un achèvement.

Mais bien souvent, la prise de conscience de l'identité nationale précède la construction d'un Etat (Italie, Allemagne au xixe siècle). Dans les deux cas de figure, on est conduit à se demander si l'Etat n'est pas l'épine dorsale de la Nation, ce qui la fait se tenir droite et ferme (*stare :* se tenir debout, en latin)...

Composer

A quoi sert l'Etat ?

► **L'Etat...**

L'Etat organise et régule la Société. Telle semble sa *raison d'être*. Il est, pour ce faire, constitué en une instance de pouvoir impersonnelle, en une « personne abstraite » détentrice à elle seule du monopole légal de la force et de la violence :

> « Il faut concevoir l'Etat contemporain comme une communauté humaine qui, dans les limites d'un territoire déterminé — (...) — revendique avec succès pour son propre compte le *monopole de la violence physique légitime.* »
>
> Max Weber, *Le métier et la vocation d'homme politique.*

Cette instance a pour fonction d'assurer la sécurité intérieure et extérieure à la collectivité.

L'Etat est, par conséquent, utile.

► **... est-il un instrument utile...**

Hobbes fut le premier à mettre en évidence l'utilité de l'Etat et surtout à montrer qu'il était le résultat d'un calcul, bref que la raison d'être de l'Etat, c'était la Raison elle-même.

Il s'agissait en effet d'apporter une solution au problème que posait la guerre permanente de tous contre tous, caractéristique de l'état de nature. Les hommes passent alors un accord (cf. *contrat*) et abandonnent ensemble leur part de droit naturel et leur violence entre les mains d'un Tiers, par nécessité omnipotent. L'Etat donne ainsi aux hommes la sécurité dont ils ont besoin pour l'exercice de leur liberté.

Peut-on, dans ces conditions, imaginer que les hommes n'aient un jour plus besoin de la structure étatique ? Sommes-nous liés à jamais à l'Etat ?

► **... ou destiné à disparaître.**

Tel pourrait être le cas si l'Etat résultait bien d'un calcul général, ou plus précisément qu'il était effectivement utile à tous. Or les marxistes vont montrer que l'Etat sert les intérêts de la classe sociale dominante. Loin d'assurer à tous l'exercice de la liberté, l'Etat, parce qu'il est par nature un instrument de domination, un simple moyen et non une fin en soi, protège quelques-uns au détriment de tous les autres. De la sorte l'Etat est au service de la lutte des classes et il disparaîtra lorsque celle-ci sera éteinte. L'Etat ment lorsqu'il prétend réaliser l'Universalité du droit :

> « L'Etat, c'est le plus froid de tous les monstres froids. Il ment froidement et voici le mensonge qui rampe de sa bouche : "Moi, l'Etat, je suis le Peuple." »

> F. Nietzsche, *Ainsi parlait Zarathoustra.*

Approfondir

L'Etat et la Révolution
VLADIMIR ILLICH OULIANOV DIT LÉNINE (1917)

La réflexion politique de Lénine se donne comme une lecture de l'ensemble des textes éparpillés dans l'œuvre de Marx et d'Engels consacrés à l'Etat. Lénine en tire une analyse précise de la nature de l'Etat : un instrument d'oppression qui caractérise l'âge des affrontements sociaux dans la société industrielle. L'Etat est historiquement lié à la lutte des classes :

> « Si l'Etat est né du fait que les contradictions de classes sont inconciliables (...) il est clair que l'affranchissement de la classe opprimée est impossible non seulement sans une révolution violente mais aussi sans la suppression de l'appareil de pouvoir d'Etat qui a été créé par la classe dominante... »

Cet instrument qu'est l'Etat sert à la bourgeoisie à la fois à modérer les effets de la lutte des classes et à instituer sa domination. En utilisant l'armée et la bureaucratie l'Etat parvient à exercer cette double violence, douce et dure simultanément. Lénine revient à plusieurs reprises sur cette idée que Max Weber reprend à son compte quelques années plus tard : l'Etat exerce la violence sous son aspect légitime.

> « L'Etat est l'organisation spéciale d'un pouvoir ; c'est l'organisation de la violence destinée à mater une certaine classe... »

Instrument de violence, simple moyen — et non plus fin en soi du développement social comme l'expliquait Hegel à ses étudiants —, il faut impérieusement que le prolétariat s'en empare afin d'asseoir sa domination sur la bourgeoisie. La classe dominée hier deviendra demain à son tour dominante grâce à la captation de l'appareil d'Etat. Lorsque la lutte aura été remportée par le prolétariat et que tous les conflits des classes auront disparu, faute de classes, l'Etat deviendra inutile. Comme le prédit Engels :

« Au gouvernement des personnes se substituent l'administration des choses et la direction du processus de production. L'Etat n'est pas aboli. Il dépérit. »

Anti-Dühring.

Actualiser

Quand l'Etat-Providence fait sa crise

L'Etat-Providence, c'est l'Etat qui voit *(videre)* loin devant *(pro)*, l'Etat pré-voyant mais pré-voyant quoi ?

A l'origine il s'agit d'anticiper sur les accidents sociaux, c'est-à-dire les menaces sur les revenus réguliers des travailleurs. Un certain nombre de risques a toujours pesé sur le travail, la maladie, l'accident, le licenciement mais aussi la vieillesse ou la maternité. Nul travailleur ne peut être assuré de pouvoir toujours poursuivre son travail et par conséquent de percevoir des revenus. L'Etat-Providence prétend donc prévoir les situations d'arrêt du travail et de cessation de paiement des revenus.

Plus exactement, cet Etat-Providence organise la prévoyance par le biais de prélèvements obligatoires sur les salaires, une cotisation versée à la fois par l'employeur et l'employé. Il se fait assureur public — au même titre que des sociétés d'assurances privées qui couvrent tel ou tel risque, à cette différence près que le système repose en France non sur la capitalisation des cotisations mais sur la solidarité des cotisants. Les indemnités perçues ne proviennent pas du travail des sommes versées par celui les perçoit. D'une part elles excéderaient très largement ce qui a été épargné, d'autre part ne pourraient être perçues par qui n'a jamais travaillé. L'Etat-Providence organise donc la solidarité, et s'il intervient désormais plus fréquemment dans la vie des individus, ceux-ci sont convaincus qu'il agit pour leur bien-être (d'où l'expression utilisée en Grande-Bretagne depuis 1940, le *Welfare state*). Le mot composé aura donc perdu les connotations péjoratives que lui attachaient ceux qui sous le Second Empire l'avaient forgé ! **L'Etat, par l'intermédiaire du concept de Providence, se trouve quasiment divinisé.** On s'en remet à lui comme à Dieu. Lui il sait, il voit loin.

Car la confiance, pour demeurer, doit rester entière. Et si l'Etat-Providence traverse depuis une décennie en France une véritable crise (elle a été identifiée en 1981 par Pierre Rosanvallon dans un ouvrage intitulé *La crise de l'Etat-Providence*) c'est peut-être moins pour des motifs économiques que sous l'effet d'une prise de conscience collective : l'Etat n'est plus si prévoyant. On reprochera moins à l'Etat-Providence ses difficultés de gestion, ses déficits que le fait de ne pas avoir su les anticiper. Que n'a-t-il vu la hausse du chômage, les déséquilibres entraînés par les fluctuations de la natalité... **Ce qui paraît extrêmement préoccupant ce n'est pas le déficit de la Sécurité sociale mais bien qu'on ait eu à le découvrir** ou plutôt à en découvrir l'ampleur.

Mais l'Etat-Providence n'a pas cette seule tâche d'assureur et l'on pourrait être tenté de trouver dans d'autres domaines de la vie sociale des signes encourageants de sa prévoyance. En effet, les spécialistes du droit administratif le rappellent, l'Etat-Providence « se prétend prêt à répondre à tous les besoins de la vie sociale » (G. Dupuis). L'examen de détail des actions de l'Etat-Providence serait évidemment long et fastidieux. On peut simplement mentionner, à titre d'exemple particulier, le cas de l'Education nationale et se demander si dans le domaine de l'instruction publique l'Etat a su anticiper sur les besoins nouveaux du pays... Qu'a donc prévu la Providence pour nos bacheliers si nombreux ?

Définir

Des règles de conduite

Ethikos désigne en grec tout ce qui concerne les mœurs.

L'Ethique traite par conséquent de la morale, c'est-à-dire des règles de conduite que nous devons suivre pour vivre conformément au Bien. L'Ethique, terme qui se spécialise dans un usage proprement philosophique, prétend évaluer l'action et demeurer sur le terrain de la théorie quand la morale se veut avant tout pratique (ce sont des conseils pratiques à appliquer tous les jours. Voir les leçons de morale naguère prodiguées aux écoliers).

Lorsque la réflexion morale porte exclusivement sur la pratique professionnelle, elle prend le nom de **déontologie,** mot façonné par J. Bentham à partir de *dei,* en grec, « il faut ».

Composer

Peut-on se passer d'une éthique ?

▶ **L'éthique (et non *une* éthique parmi d'autres)...**

La crise de l'identité occidentale et la critique des valeurs, entamées par les philosophes du soupçon au XIXᵉ siècle, permettent de poser aujourd'hui une question qui naguère n'aurait pas été pensable. Il faut d'ailleurs commencer par établir que le mot *éthique*

accepte bien la particularisation qu'opère l'article indéfini. Sa signification autorise-t-elle en effet une pareille forme d'actualisation ? Y
a-t-il autant d'évaluations possibles d'une même action qu'il y a de
sujets évaluateurs ? A chacun sa vérité, à chacun ses valeurs et son
éthique ? Le retour des exigences de la conscience éthique dans le
monde professionnel (voir « actualiser » : La bioéthique en question)
laisse peut-être croire que chaque activité a besoin de *son* éthique.

Il ne faut toutefois pas **céder aux abus du langage et confondre
éthique et déontologie** (voir « définir »). Rappelons seulement
qu'**une éthique relative à l'individu qui l'adopterait perdrait évidemment de sa « valeur morale »**. La loi morale ne peut être absolue
que si elle est détachée de la défense ou de l'expression des intérêts
bien particuliers de chacun (voir « approfondir »). L'éthique ne
peut découvrir ma liberté que si elle me donne les moyens d'évaluer
de façon désintéressée mon action. Il n'est donc pas question de
savoir si l'on peut se passer d'**une** éthique mais bien de savoir en
quoi l'éthique nous est nécessaire.

> ▶ **... est indispensable à la survie de l'espèce humaine.**

En conformité avec l'étymologie (*éthos,* la coutume, l'habitude),
on pourrait faire de l'Ethique l'ensemble des principes qui permettent à l'homme de s'adapter à son milieu, de s'y accoutumer, de s'y
habituer. Une action serait donc jugée bonne par l'Ethique lorsqu'elle irait dans le sens de l'instinct de survie de l'espèce humaine.
La morale serait alors le prolongement de cet instinct. Mais l'étymologie, du moins la « vérité » dont elle pourrait être porteuse se laisse
prendre en défaut par les découvertes de l'éthologie contemporaine.

Konrad Lorenz, dans *L'agression, une histoire naturelle du mal,*
montre par exemple que l'espèce humaine est la seule de toutes les
espèces animales à être privée de ces mécanismes inhibiteurs qui
détournent l'agressivité interspécifique. L'homme est bien un animal à l'instinct déréglé, seul capable de détruire ses congénères :

> « Dans les premières communautés d'humains véritables, on ne
> semble pas avoir demandé beaucoup plus à la morale responsable de
> maintenir l'équilibre entre la possibilité et l'inhibition de tuer. »

La morale vient donc au secours de l'instinct défaillant. La
culture sauve aussi l'espèce en l'arrachant de la simple nature où
elle se serait éteinte. Dans cette entreprise de sauvetage, la morale
est **un artifice créateur d'inhibitions conscientes.**

A p p r o f o n d i r

Fondements de la métaphysique des mœurs
EMMANUEL KANT (1785)

Comment une volonté pure, c'est-à-dire détachée de tout mobile et de toute motivation extérieure est-elle possible ? La question doit être posée et résolue si l'on prétend déterminer la seule véritable liberté humaine. En effet, une telle volonté, parce qu'elle serait capable de se régler uniquement *a priori,* c'est-à-dire indépendamment de circonstances données dans l'expérience, serait bien l'expression de la liberté absolue. Cette volonté-là, Kant la localise dans la sphère de la moralité. C'est la **bonne volonté,** volonté qui ne veut rien d'autre que le Bien, détachée des obligations de résultat et de toute forme d'intérêt : je ne suis libre que si je veux le Bien pour le Bien.

Cette volonté ne peut donc être qu'une volonté d'agir par devoir. Le devoir s'oppose en effet à toute forme d'inclinations. Le devoir pousse ainsi à aimer son prochain, y compris son ennemi, comme soi-même. C'est d'ailleurs précisément dans l'amour de l'ennemi qu'il se laisse percevoir et non dans celui que l'on porterait à l'ami, « amour pathologique », fondé sur l'affection et donc motivé. Pour Kant, le devoir apparaît donc comme « la nécessité d'accomplir une action par respect pour la loi ». Une contradiction semble alors surgir : le respect n'est-il pas la motivation de l'action accomplie par devoir et partant ne fait-il pas de cette action une action intéressée ? Dans une note ajoutée au texte, Kant prétend lever la contradiction en précisant ce qu'il entend par respect :

> « La détermination immédiate de la volonté par la loi et la conscience que j'en ai, c'est ce qui s'appelle le respect, de telle sorte que le respect doit être considéré non comme la cause de la loi, mais de l'effet de la loi sur le sujet. »

L'action morale est donc une action faite par devoir, c'est-à-dire accomplie par respect de la loi... Mais de quelle loi s'agit-il ? Cette loi ne saurait être définie par un contenu spécifique, c'est l'idée de la loi que respecte la bonne volonté, soit la forme même de la loi. Ce que le devoir commande alors c'est la soumission à l'universalité même requise par la loi. D'où les trois énoncés célèbres que formule Kant et qui déclinent en fait l'exigence morale d'universalité :

- « Agis uniquement d'après la maxime qui fait que tu peux vouloir en même temps qu'elle devienne une loi universelle. »
- « Agis comme si la maxime de ton action devait être érigée par ta volonté en loi universelle de la nature. »
- « Agis de telle sorte que tu traites l'humanité, aussi bien dans ta personne que dans la personne de tout autre, toujours en même temps comme une fin, et jamais simplement comme un moyen. »

Ces trois énoncés expriment le même impératif, ils contraignent en effet la volonté lorsque celle-ci recherche l'action bonne en elle-même et pour elle seule. Cet impératif est donc qualifié par Kant de **catégorique**.

Actualiser

La bioéthique en question

« Je ne veux pas faire certaines choses. Mon dernier exploit aura été la congélation l'embryons humains », déclarait le Pr Jacques Testard à l'occasion d'un entretien publié le 10 septembre 1986. Cette position, prise par l'un des plus grands spécialistes de la fécondation *in vitro*, s'intégrait dans un processus enclenché dès 1983 avec la création du Comité national d'Ethique des Sciences de la Vie, présidé jusqu'en 1993 par Jean Bernard. Une partie qualitativement impressionnante de la communauté scientifique affirmait la nécessité d'imposer un cadre éthique à la recherche portait sur le corps humain. Le débat s'est depuis centré sur la PMA (Procréation médicalement assistée) jusqu'à requérir du législateur une intervention visant en France, par exemple, à l'interdiction de la pratique des fécondations *in vitro* sur des femmes ménopausées. La bioéthique n'est donc pas un vain mot (même si le néologisme laisse perplexe : y aurait-il une éthique du non-vivant ?), elle témoigne non seulement de la part des scientifiques **d'un souci de ne plus s'en tenir simplement à cette éthique de conviction** (seuls les principes comptent. Il faut faire avancer la Science sans s'inquiéter des applications possibles de la recherche) **pour endosser des responsabilités,** mais aussi du côté des politiques d'une volonté de s'appuyer sur une autorité indépendante.

La Science, l'Ethique et la Politique nouent depuis dix ans un dialogue fructueux qu'il ne s'agit évidemment pas de remettre en cause. Toutefois certaines questions se posent inévitablement à propos de ces réflexions et des choix politiques qui semblent en avoir résulté.

Rappelons tout d'abord que l'abus de l'expression « bio-éthique » peut accréditer l'idée qu'il y aurait bien une éthique propre à une activité spécifique absolument distincte de la morale objective. Ce qui n'a évidemment pas grande signification. D'autre part, sur le texte de loi précisément adopté en 1994 qui réglemente la PMA, il est clair que l'avis du Comité ne saurait dispenser d'un examen critique de ses conséquences politiques et morales. Au nom de quel principe interdire à une sexagénaire de bénéficier des progrès de la science dans le domaine de la fécondation *in vitro* ? Parce que cela contrarie la nature ? Mais la médecine ne cesse de chercher à contrer la nature et personne ne saurait mettre en question les acquis de la chirurgie cardio-vasculaire. Parce qu'il s'agirait d'un « choix égoïste » de la part d'une femme condamnée à ne pas accompagner la vie de son enfant aussi longtemps que les autres ? Pourtant des personnalités comme Chaplin ou Montand ont effectué un tel choix sans déclencher un tel scandale. Il faut donc, en homme logique, s'en prendre autant aux uns et aux autres. Quant à la notion de « choix égoïste », elle mérite d'être, pour le moins, appréciée avec rigueur : quel choix ne l'est pas ? Bref, qu'y a-t-il de véritablement « éthique » dans cette mesure « politique » ? Peut-être s'agit-il simplement d'une décision économique (songeons au coût d'une libéralisation des techniques de la PMA qu'un habillage « moral » peut rendre sans doute acceptable. Pour que les références à la bioéthique soient tout à fait crédibles, il manque peut-être tout simplement... une éthique.

Définir

Accès interdit

L'exclusion est dans le monde antique un châtiment. Auguste chasse Ovide de Rome et le condamne à un exil perpétuel sur les rives de la mer Noire ; les Athéniens bannissent, pour dix ans, l'un des plus illustres d'entre eux, le vainqueur de Salamine, Thémistocle, coupable d'être trop ambitieux et trop puissant. Cette mesure porte un nom : l'ostracisme. La porte de la Cité restera close pour ceux que les citoyens auront condamnés (*excludere,* en latin, fermer l'accès). Les ex-clus, conformément au sens du mot, se retrouvaient alors à l'extérieur de la Cité.

Aujourd'hui, et par un phénomène de glissement de sens, les exclus le sont entre nos murs. Ils n'ont fait l'objet d'aucune procédure, on ne leur reproche rien sinon leur dénuement, ils ne s'exposent ni à la vindicte populaire, ni au mépris des citoyens : au contraire, ils suscitent la compassion et régulièrement, quand vient l'hiver, les médias se rappellent à leur attention. L'exclusion, autrefois exceptionnelle et signe d'infamie civique, est devenue banale, indice pathétique d'une faillite. Elle résulte en effet désormais moins d'une volonté de la société que d'une impuissance de celle-ci à répondre aux besoins de tous. Car l'exclusion ressemble en cela au Démon, elle a mille noms, mille visages... On pourrait même croire qu'elle gagne du terrain à mesure qu'elle multiplie ses formes... Qui dira bientôt qu'il ne se sent exclu ?

Composer

L'exclusion est-elle nécessaire ?

► **Si intégrer, c'est associer...**

La politique n'est pas un simple combat pour l'exercice du pouvoir, elle suppose aussi de la part de ceux qui s'y livrent un « projet de société » qui justifie l'affrontement. De fait, **le politique prétend toujours réaliser une meilleure intégration de ceux auxquels il souhaite imposer son gouvernement.** De l'intégration, le *Vocabulaire philosophique* de Lalande donne la définition suivante :

> « Etablissement d'une interdépendance plus étroite entre les partis d'un être vivant ou entre les membres d'une société. »

L'intégration apparaît bien comme l'envers de l'exclusion et semble effectivement désigner la finalité du politique : intégrer c'est associer. Une société sera donc d'autant plus florissante que le nombre des associés *(socii)* qui la composent sera plus élevé. Or que signifie précisément « associer » ?

► **... l'association politique réclame aussi...**

La finalité de l'association politique réside dans l'exclusion de la violence naturelle dont les hommes sont porteurs. La fiction dont on use pour illustrer ce mécanisme importe finalement peu : que l'on transmette la légende de la fondation de Rome (le tracé de *poemerium* qui indique « la limite à ne pas franchir armé ») ou que l'on construise, à l'instar du philosophe Hobbes, un état de Nature effrayant où le règne de la force entraîne l'humanité à sa perte, c'est toujours le même discours que l'on tient. L'association demeure le meilleur moyen d'exclure, expulser le mal et réaliser la conservation de l'espèce.

De fait, l'association initiale mythique sert de modèle à l'action politique : on s'efforcera d'associer par la négociation les adversaires au moyen d'un contrat, d'une déclaration commune, on cherchera à réduire les hétérogénéités sociales par l'association des futurs citoyens dans une culture commune par le moyen de l'Ecole de la République, etc. Est-ce à dire, par conséquent, que la réalité de l'exclusion sociale marque l'échec de ceux qui ont en charge les affaires de la Cité ?

▶ ... l'exclusion comme une nécessité.

L'exclusion sociale n'est-elle pas toujours répétition de cette expulsion de la violence, au principe même de l'institution politique ? De fait, on imagine mal une société aussi riche que la société occidentale subir ce mécanisme d'exclusion. Le rejet dont souffre une partie non négligeable de la population (en France, de récentes estimations font état de 1 400 000 victimes de l'exclusion sociale) est-il sinon provoqué du moins toléré... Ceux que la société maintient à sa porte ne sont-ils pas les re-présentants de la violence inacceptable de la nature des choses, celle qui précipite dans la pauvreté, sans que la volonté des hommes puisse rien y faire ? Le bouc chassé dans le désert, Œdipe banni de Thèbes, le *pharmakos,* esclave, promené dans Athènes pour se trouver lynché à la porte de la ville, endossent les angoisses de la communauté. C'est contre eux que celle-ci se reforme. De fait, si l'exclusion opère depuis si longtemps la *catharsis* nécessaire à la cohésion du groupe, comment ne pas voir aujourd'hui les exclus de la société de consommation sous les traits de victimes émissaires d'une crise sacrificielle qui puise aux origines du phénomène politique ?

Approfondir

La métamorphose
FRANZ KAFKA (1912)

« Un matin, au sortir d'un rêve agité, Gregor Samsa s'éveilla transformé dans son lit en une véritable vermine. » C'est ainsi que débute ce conte de fées à rebours que le réveil fait basculer dans le cauchemar d'une réalité qui deviendra de plus en plus insoutenable. Non que Gregor souffre de sa transformation, mais parce que celle-ci va conduire sa famille à une exclusion brutale, définitive, qui ne laisse au malheureux que la mort pour issue.

Tout commence donc par une métamorphose. L'article défini

du titre du récit ne permet guère de douter du caractère métaphorique de la transformation. La métamorphose de Gregor est évidemment l'instance de tous ces bouleversements radicaux qui brutalisent parfois les familles dans le conformisme qu'elles n'ont de cesse d'instituer : à chacun son rôle, sa place... Gregor doit ainsi travailler pour faire vivre ses parents et sa sœur Grete qu'il aime tant. Il tient dans l'économie domestique la fonction première (en particulier, il rembourse une dette contractée par son père) et sa métamorphose c'est aussi un changement profond de cet ordre économique jusque-là bien défini. De fait, quelle famille ne doit pas faire face à la « métamorphose » de l'un de ses membres : passage de l'enfance à l'adolescence, maladie, chômage... La vie ne nous expose-t-elle pas à des modifications incessantes de nos habitudes ? La transformation de Gregor apparaît bien comme un fait accompli, irréversible, une altération complète de son identité (même ses goûts ont changé : « Il ne pouvait plus souffrir le lait, qui était autrefois sa boisson préférée et que sa sœur lui avait servi sans doute avec une attention particulière. »).

A l'origine de l'exclusion — qui prend la forme pour Gregor d'une réclusion — il y a, selon Kafka, le constat d'un bouleversement intolérable pour la communauté. Il s'accompagne d'un sentiment mêlé de honte et de crainte, mais le rejet apparaît d'abord comme le dégoût du désordre. Il ne s'agit là cependant que d'une première étape. Car la transformation de Gregor va provoquer de nouvelles modifications. La métamorphose, c'est aussi celle de la famille Samja. Le père reprend le chemin du travail et redécouvre le plaisir de l'activité, il se sent bientôt « en grande forme, vêtu d'un bel uniforme bleu à boutons dorés ». Le récit de Kafka, dans sa seconde partie, relate en effet ce qu'on pourrait appeler la résurrection de la famille Samsa. **Au malheur de l'exclu répond bientôt le bonheur de ceux qui excluent.** De fait, Kafka suggère un bonheur d'exclure, une joie sauvage à expulser l'élément du désordre qu'accompagne une énergie de l'espoir d'être pleinement soi-même. Il ne faut donc pas lire légèrement la dernière phrase du court roman qui promet aux Sansa un avenir radieux :

> « Ils crurent voir une confirmation de leurs nouveaux rêves et de leurs beaux projets quand, au terme du voyage, la jeune fille se leva la première et étira son jeune corps. »

L'épanouissement de Grete semble s'être fait au prix de la mort de Gregor, comme si la sœur était sortie de sa chrysalide quand le frère se laissait enfermer dans sa carapace.

Actualiser

Le clochard et le SDF

L'exclusion s'affiche, elle se place à la une des journaux que des SDF éditent et distribuent eux-mêmes : *La Rue, Macadam, Réverbère.* Ces titres évoquent assez clairement que cette exclusion-là est d'abord une expulsion du domicile. Or, paradoxalement, elle n'est jamais aussi visible qu'en hiver, où précisément les expulsions sont interdites par la loi.

Les exclus sont donc à présent les « sans-logis » que le sigle SDF (Sans domicile fixe) banalise, voire transforme en institution (SNCF ? RATP ? RER ?). Mais sigler le « sans-logis » c'est évidemment surtout déréaliser ce rapport à l'exclusion que semble redouter la communauté de ceux qui sont toujours « inclus ». En effet, un sondage du mois d'octobre 1993 (CSA/*La Rue*) montre que 73 % des Français craignent l'exclusion pour eux-mêmes ou leurs proches. Le sigle permet donc d'effacer la réalité de ce qui semble vécu comme une menace effective. La déshumanisation par ces trois lettres, SDF, est une dédramatisation, un biais pour l'esquive du tragique que la fatalité de la rue ne manque pas de générer. Humain, trop humain l'exclu ressemble à son envers ; trop proche il peut hanter comme un avenir ceux dont le présent paraît si incertain.

De fait, si le « sympathique » clochard de quartier a laissé la place au SDF anonyme (à qui l'on reprocherait parfois même sa « trop » bonne tenue), c'est bien que l'exclusion se développe et que l'on refuse plus obstinément de la nommer. Le vieux rebelle barbu qui s'intégrait dans un pittoresque urbain, relayé par le roman et le cinéma, et auquel on prêtait (à tort ou à raison) une volonté d'être dans la rue s'est démultiplié mais ses « doubles » ont perdu de cette identité et de cette « épaisseur » psychologique qui permettaient au clochard de n'être pas « si exclu que cela ». Aujourd'hui les 400 000 SDF « officiels » ne sont même plus des

« marginaux », ils se perdent dans la blancheur d'une page sans marge. C'est pourquoi la vente « à la criée » de ces journaux « sans-logis » ne relève pas seulement d'une stratégie de réintégration sociale de ceux qui n'ont institutionnellement aucune protection (parce qu'ils ne figurent sur aucun registre et ne marquent pas la mémoire des ordinateurs). Il s'agit de faire entendre à nouveau la voix de ceux que les euphémismes siglés cherchent à effacer.

Définir

Pourquoi tant de haine ?

« Familles, je vous hais ! ». Le cri d'André Gide est bien connu. Mais pourquoi tant de haine ? La famille, plus petite communauté humaine, est pourtant le lieu où se tissent des liens que l'on veut croire indestructibles entre les êtres, parce qu'ils sont ceux qu'impose la Nature. Structure de réconfort, société nécessaire où chacun peut se replier quand les aléas de l'Histoire se laissent trop percevoir, la Famille est toujours valorisée en période de crise morale ou politique. C'est vers elle que reviennent ceux qui ont perdu leurs illusions, c'est vers elle que se tournent les fondateurs d'un ordre social destiné à protéger les peuples des cahots et du chaos de l'Histoire, c'est vers elle enfin que se fixe le choix de ceux qui réclament la promotion de « vraies valeurs » quand ils ont le sentiment d'avoir été le jouet des idéologies.

C'est paradoxalement la force du lien familial qui effraie autant qu'il sécurise. On ne peut échapper à sa famille, ni faire de n'être plus l'enfant de ses parents. La famille si elle réchauffe, en même temps détruit toute volonté. Elle apparaît, comme le montre Hegel dans *Les principes de la philosophie du droit,* à la fois telle un havre de sécurité et telle une prison — l'expression « cellule familiale » a de ce point de vue de quoi faire réfléchir.

Composer

La famille, une communauté à part ?

▶ **L'ordre familial est un ordre à part...**

L'ordre familial ne relève pas de l'ordre social, même si la tentation est grande de faire de la famille la métaphore de la société (voir les expressions du « paternalisme » politique : le monarque est un **père** pour ses sujets, le despote un authentique « petit père des peuples » qu'il a soumis). Les Grecs dissociaient ainsi la sphère de la vie privée de celle de la vie publique. Si dans l'espace de la Cité les citoyens sont des égaux (c'est la règle de l'isonomie), dans la maison, l'inégalité des situations s'impose (le Maître, les fils, l'épouse, les filles, les esclaves...). De fait, la famille ne dissimule pas des relations de domination ou de dépendance que la société démocratique refuse. Avec l'avènement de la Démocratie, ce qui caractérisait au Vᵉ siècle avant Jésus-Christ la Grèce s'est étendu à l'ensemble des Etats modernes. La famille apparaît bien comme un « ordre à part ».

▶ **... dont dépend le rapport de chacun à l'ordre social.**

Ce n'est pas dire cependant qu'elle n'a aucun rôle social. Hegel le rappelle dans *Les principes de la philosophie du droit*. La famille prépare à la vie sociale en ce qu'elle situe l'individu dans une communauté, c'est-à-dire là où s'éprouve la solidarité. Elle permet l'apprentissage de la vie de groupe et des rapports de force inhérents à toute collectivité humaine. La psychanalyse montre même que la famille est bien le lieu où se détermine le rapport de chacun à l'autorité et à l'ordre. Elle prépare donc moins qu'elle ne détermine.

En effet, le conflit œdipien auquel le jeune enfant est confronté, c'est-à-dire la découverte d'une volonté extérieure à la sienne, d'une volonté plus puissante que la sienne et qui contrarie la réalisation de ses désirs structure le rapport futur de l'adulte à la Loi.

De fait, le désordre de la vie familiale rend la vie sociale désordonnée. Le symbolisme de la pièce de Sophocle va également dans ce sens : ce que découvre aussi Œdipe, c'est qu'il ne peut plus rester dans la Cité. Son existence sera celle désormais d'un être errant qui demeure aux portes d'une ville interdite (Athènes, dans *Œdipe à*

Colonne), car ce sont bien ses « histoires de famille » *(sic)* qui ont apporté à Thèbes le désordre absolu que représente la peste. L'ordre social n'est rétabli qu'avec la vérité et le départ du criminel.

Ainsi la famille est un « ordre à part » parce qu'elle est l'ordre ou le désordre à venir dans la vie sociale de chacun.

Approfondir

Electre

EURIPIDE (413 av. J.-C.)

Quarante ans après l'*Orestie* (le triptyque d'Eschylle consacré à la tragédie des Atrides : *Agamemnon, Les Choéphones, Les Euménides*) Euripide « revisite » la célèbre « vendetta » familiale qui déchire le royaume de Mycènes. On connaît l'argument : Agamemnon, le roi des rois, a été contraint, par les Dieux et sa propre armée, à sacrifier sa fille Iphigénie, afin que les vents puissent porter les Achéens sous les remparts de Troie. Clytemnestre prépare pendant dix ans la vengeance d'une mère, armant le bras de son amant Egisthe, pour que celui-ci frappe le Roi à son retour triomphal. Electre, l'une des trois filles du couple royal, assiste au meurtre et n'a, dès lors, d'autre souci que celui de préparer, à son tour, le prince héritier, Oreste, à la vengeance. Revenu à Mycènes, le jeune homme, poussé par sa sœur, exécute Clytemnestre et Egisthe pour reprendre le trône de son père. La famille des Atrides devient alors le symbole du déchaînement de la haine familiale : ne dit-on pas encore aujourd'hui d'une famille dont les membres se détestent qu'elle ressemble à celle des Atrides ?

Euripide fait d'Electre le défenseur de la tradition et des valeurs masculines de la famille. Elle choisit de rester là où désormais sa mère et son amant règnent ensemble pour entretenir la mémoire du Roi assassiné :

> « Si la justice veut qu'on rende meurtre pour meurtre, c'est par ta mort (Electre s'adresse ici à sa mère, Clytemnestre) que ton fils Oreste et moi devons venger notre père. Si le premier meurtre est juste, celui-ci est juste aussi. »

Oreste viendra donc pour égorger Clytemnestre dans une pauvre maison paysanne, comme on abat sans émotion un animal. Ce sont biens les liens du sang qui unissent les Atrides !

La tragédie met en scène la violence des passions qui agitent une famille, comme si la famille était le lien tragique par excellence. De fait, la filiation est aussi une fatalité : si l'on n'échappe pas à sa propre famille comment pourrait-on fuir les désirs qui s'y manifestent comme on fuit dans la société ceux dont nous ne pouvons supporter l'étreinte ? La famille est un espace aussi clos que l'univers tragique, elle révèle alors à chacun de ses membres une fatalité dont Freud et la psychanalyse sauront exploiter la dimension symbolique.

Actualiser

La famille décomposée

Les chiffres les plus récents fournis par l'INSEE comptabilisent en 1986 2 millions d'enfants de moins de 19 ans vivant au sein d'une famille monoparentale. Ce qui était annoncé jadis par des « futurologues » comme Alain Toffler *(Le choc du futur)* semble aujourd'hui s'être partiellement réalisé : la famille — dans sa forme traditionnelle — en tant que cellule de formation et de repli pour l'individu se désagrège, elle s' « atomise » (n'évoque-t'on pas les « foyers mononucléaires » ?). Certes la cause principale du phénomène est aisément identifiable : la progression spectaculaire du nombre des divorces (40 000 par an vers 1960 pour 110 000 dans les années quatre-vingt-dix). Mais cette « cause » immédiate n'est que la manifestation d'une évolution plus profonde de la société française en particulier, comme de l'Occident dans son ensemble.

La **cellule familiale de type pré-industriel** se caractérisait par sa « superficie sociale », elle réunissait dans un lieu unique parents, grands-parents, cousins, oncles, etc. Structurée le plus souvent autour d'un « patriarche », vestige rural de l'antique *pater familias,* cette famille s'enracine dans un terrain et l'image qu'offre **l'arbre** généalogique la symbolise parfaitement. Avec l'industrialisation, les individus prennent de l'autonomie par rapport à ces racines. Il faut aller chercher le travail là où il se trouve, c'est-à-dire dans les villes. La mobilité sociale distend les liens familiaux. On « visite » désormais la « famille » pendant les vacances. On retourne « au pays » comme on rentre chez soi mais épisodiquement. Le discours de la nostalgie est de bon ton, toutefois l'individu gagne en liberté avec cette mise à distance.

Avec **le droit au divorce,** c'est une nouvelle « mobilité » qui est conquise, une nouvelle étape de la libération individuelle qui est réalisée. Si la famille en fait les frais c'est au même titre que la société dans son ensemble : à mesure que les aspirations individualistes s'affirment, les communautés, de la plus simple à la plus complexe, se désagrègent. Reste à atteindre désormais la phase ultime dans le processus d'allégement du poids que la famille fait peser sur l'individu : la séparation parents-enfants. L'anthropologue Margaret Mead imagine ainsi une société dans laquelle on distinguerait des « parents biologiques » des « parents professionnels ». Pour « libérer » les couples (déjà désunis) de leurs enfants pendant les périodes d'activité, on pourrait concevoir des familles spécialisées dans l'éducation et l' « élevage » des enfants et rémunérées en conséquence. Après les mères porteuses, les mères « éleveuses » ? L'individualisme porté à son paroxysme a bien quelque chose de surréaliste.

D é f i n i r

La paix, un accident de l'histoire ?

L'étymologie oppose la guerre à la paix comme les anciens livres d'histoire distinguent les cruels envahisseurs francs des paisibles gallo-romains. Les barbares venus de Germanie n'ont en effet légué que de très rares expressions à la langue française : il faut toutefois leur créditer le mot « guerre », du gothique *Guerra* alors que la « paix » appartenait au lexique des peuples qu'ils avaient vaincus (*pax,* en latin). Cette *pax* romaine dérive elle-même du verbe *pango,* « fixer », « enfoncer ». **La paix, c'est donc une manière de « fixer les choses », de calmer le mouvement pour connaître enfin le repos.** Il existe une autre hypothèse concurrente mais qui ne remet pas en cause l'idée que révèle l'origine du mot lui-même. La « paix » serait la traduction latine d'une interjection grecque signifiant « Silence ! ». Là encore, c'est un chaos (sonore) que la paix s'efforce de dissiper.

L'une et l'autre interprétations philologiques évoquent l'idée selon laquelle la paix est toujours postérieure à la guerre, qu'elle en procède, qu'elle en dépend. La paix est-elle toujours seconde ? Ne peut-on la penser sans la subordonner à la guerre ?

Composer

La guerre n'est-elle qu'un haïssable accident de l'Histoire ?

▶ **La guerre est-elle un mal...**

Du *Candide* de Voltaire au roman de Barbusse, *Le feu,* **la guerre figure le Mal,** l'absurdité d'une horreur qui révèle la part sombre de la nature humaine. Thomas Hobbes dans *De cive* et *Léviathan* rappelle l'évidence de cette nature mauvaise que signale l'existence de la guerre. A l'état de Nature les hommes, explique-t-il, vivent dans la crainte :

> « La cause de la crainte mutuelle réside pour partir dans l'égalité naturelle entre les hommes, pour partir dans le désir réciproque de se nuire... »
>
> *De cive.*

Les hommes sont très égaux dans le désir de nuire. On connaît trop la formule célèbre « l'homme est un loup pour l'homme » qui dit la loi de la nature humaine ; la bestialité. Le philosophe britannique imagine l'idée d'un contrat passé entre tous les hommes pour les soustraire à l'angoisse insupportable de cette guerre permanente. La société est une alliance forcée pour combattre la guerre cachée au plus noir du désir de chacun.

Les hommes se donnèrent le droit, civil pour régler les conflits internes, international (au droit des gens) pour les relations entre les peuples. Mais si pour le premier l'Etat a bien les moyens d'imposer la loi (seul détenteur qu'il est de la violence légitime), dans le second cas, celui du droit international quelle instance a la possibilité d'imposer le respect des traités passés entre les nations ? Celles-ci demeurent, pour exploiter le schéma hobbien, à l'état de nature.

La guerre inscrite dans la nature humaine se révèle inévitable dès lors que l'on ne prend pas soin d'envisager l'obligation de créer une sorte de « Confédération planétaire », de « Sénat des nations », issus d'un nouveau pacte « suprasocial ».

▶ **... nécessaire ?**

L'échec de la SDN et les paralysies de l'ONU font de cet objectif cosmopolitique, cher à Kant, un idéal voué à n'enfanter que des utopies.

Pourquoi la paix résiste-t-elle si mal à la guerre ? Pourquoi les peuples ne trouvent-ils pas la force de mettre la guerre « hors la loi » ?

C'est peut-être, risquerons-nous avec Machiavel, que la guerre est nécessaire (étymologiquement, elle ne peut pas ne pas être). L'auteur du *Prince* enseigne à se méfier de la paix, toujours trompeuse : « (Le Prince) ne peut se fonder sur ce qu'il voit en temps paisible. » La paix se serait qu'une ruse de la guerre destinée à endormir la méfiance des princes et celle des peuples. La paix nous fait croire en effet que le monde est stable (*pangere :* fixer) alors qu'il n'est toujours que mouvement et chaos. La pensée politique de Machiavel fait du chaos de l'Histoire une nécessité que le véritable homme d'Etat sait accepter.

Or si la guerre est inévitable, c'est qu'elle exprime à l'échelle des nations la nature profondément insociable des hommes.

Kant dans l'*Idée d'une histoire universelle au point de vue cosmopolitique* ne dit pas autre chose. Si l'homme, par nature, témoigne d'un penchant à s'associer aux autres hommes « il manifeste (aussi) une grande propension à se détacher, car il trouve en lui le caractère d'insociabilité qui le pousse à vouloir tout diriger dans son sens... ». Or la guerre reproduit le schéma du conflit de deux singularités (« La guerre est un combat singulier agrandi, et la lutte entre deux hommes est l'image qui permet le mieux à la pensée de se représenter en un acte unique le nombre indéterminé de combats dont une guerre se compose », Clausewitz).

Approfondir

Projet de paix perpétuelle
EMMANUEL KANT (1795)

L'originalité du texte de Kant, paru pour la première fois en 1795 alors que l'Europe est dévastée par des guerres qui désormais ne concernent plus seulement les « professionnels » (cf. la levée en masse du côté français), tient déjà au titre retenu. Certes, il fait allusion à l'abbé de Saint-Pierre dont le *Projet pour rendre la paix perpétuelle en Europe* eut un réel retentissement en 1713, au lendemain des campagnes de Louis XIV. Mais Kant a, de façon significative, éliminé toute référence circonstancielle. Il s'agit désormais de penser la paix comme une exigence universelle, et d'autre part d'arracher celle-ci à la guerre. Rechercher la paix perpétuelle, c'est se donner les moyens d'éliminer de façon définitive la guerre.

Après avoir toutefois rappelé que la guerre est aussi un facteur de progrès (elle pousse les peuples à s'installer dans des régions inconnues, elle mobilise toutes les énergies techniciennes), Kant expose les conditions selon lui nécessaires à la disparition des conflits internationaux. Il plaide ainsi en faveur de la dissolution des armées de professionnels et des armées permanentes — « Les armées permanentes doivent entièrement disparaître avec le temps ». Lorsqu'on dispose d'une arme à portée de main on est toujours enclin à l'utiliser. Il faut en outre que le régime républicain progresse à travers l'Europe. Là, les sujets sont des citoyens et décident eux-mêmes de la guerre et de la paix, ils n'abandonnent pas le sort de la communauté au caprice d'un Prince et à la défense de ses intérêts particuliers. Enfin, Kant propose de soumettre les nations à une autorité commune, sur le modèle du pacte social, car la sécurité passe par la contrainte :

> « Il n'y a, aux yeux de la raison, pour les états considérés dans leurs relations réciproques, d'autre moyen de sortir de l'état de guerre où les retient l'absence de toute loi, que de renoncer, comme les individus, à leur liberté sauvage, pour se soumettre à la contrainte des lois publiques et former ainsi un État de nations qui croîtrait toujours et embrasserait à la fin tous les peuples de la terre. »

Le cosmopolitisme est le plan caché de la Nature et la paix perpétuelle en est l'un des agents. Or, ce cosmopolitisme apparaît d'abord comme une idée régulatrice destinée à nous permettre de penser le progrès de l'espèce. De même que la Paix perpétuelle est un pro-jet (jeter devant), un horizon. Le texte de Kant a inspiré la création de la SDN et de l'ONU, avec des résultats mitigés on le sait.

Actualiser

La guerre totale

Dans *De la guerre,* publié en 1834, Carl von Clausewitz inventait le concept de « guerre absolue », en tirant les leçons des lumières.

De la « guerre absolue » notre modernité a fait la « guerre totale », selon un mécanisme aisément repérable :

> « Tandis que plaçait tous les esprits, d'après les vues traditionnelles, en une force militaire très limitée, une force dont personne n'avait eu l'idée fit son apparition en 1793. La guerre était soudain redevenue l'affaire du peuple et d'un peuple de 30 millions d'habitants qui se considéraient tous comme citoyens de l'Etat (...). La participation du peuple à la guerre, à la place d'un Cabinet ou d'une armée, faisait entrer une nation entière dans le jeu avec son poids naturel. »

La guerre avec les armées françaises sorties de la conscription, cesse d'être une affaire de professionnels et devient l'affaire de tous. Elle engage les peuples et implique les nations, elle est totale. Le xxᵉ siècle rend d'ailleurs ce concept de « guerre totale » parfaitement clair. Deux « guerres mondiales » suffisent à montrer ce que « totale » signifie : tous les moyens humains et mécaniques auront été mobilisés sur toute la surface du globe, au service d'une guerre qui ne distingue pas entre les civils et les militaires. A deux reprises, le cauchemar de Hobbes (voir *supra*) est devenu réalité. Depuis les hommes font attention, ils laissent à l'ONU le rôle de « super-Léviathan », et se flattent d'avoir su refroidir la guerre ou la circonscrire à des périmètres trop réduits pour être vraiment inquiétants.

En 1991, la crise du Golfe : énième guerre de Troie, elle n'eut certes pas vraiment lieu mais servit aux Européens de révélateur. Machiavel avait raison, la guerre ne cesse d'être aux aguets derrière la paix et la menace de la guerre totale n'en finit pas d'être perceptible.

Si la guerre du Golfe marque un tournant dans l'évolution des mœurs occidentales (modification du comportement des consommateurs, manque de confiance dans l'avenir, etc.), c'est peut-être parce qu'elle a montré la facilité de la paix (plutôt que sa fragilité). L'internationalisation de tous les échanges, la mondialisation de l'économie rendent les conflits locaux extrêmement sensibles et les intérêts particuliers de telle puissance régionale revêtent soudain une portée générale. **La guerre totale est à présent universelle.**

D é f i n i r

Mi-homme, mi-Dieu

Le héros est une créature composite, fils d'une divinité et d'un mortel, il n'appartient ni à la communauté des hommes — qu'il surplombe — ni à la cohorte pourtant fournie des dieux grecs et romains. Ce qui semble donc caractériser le héros, c'est d'une part sa solitude et d'autre part cette condition intermédiaire. Dans notre culture, le héros par excellence demeure Achille, fils de Thètys, et dont le corps même trahit sa nature double (puisqu'il est vulnérable seulement au talon). Nos mythologies modernes ont conservé cette duplicité essentielle : Superman est à la fois l'invincible défenseur de l'Amérique et le timide journaliste dont la gaucherie émeut. L'acception banalisée du mot « héros », employé pour « personnage principal » d'une fiction romanesque ou filmique, maintient également l'ambivalence. Ce héros de roman est suffisamment singulier pour justifier que le romancier s'intéresse à lui, même s'il apparaît aussi comme un personnage parmi d'autres. Julien Sorel est ainsi à la fois exceptionnel (par sa volonté et son ambition) et ordinaire (par ses passions).

On l'aura compris, le héros permet l'identification parfaite de la communauté à un modèle. Il est au-delà de la condition que nous partageons tous et c'est pourquoi nous pouvons souhaiter l'imiter, mais il reste accessible, nous pouvons donc nous identifier à lui. Le héros tragique ou épique cimente ainsi les nations, comme le héros romanesque rassemble les lecteurs en une confrérie plus ou moins large (on songera aux *happy few* auxquels Stendhal dédiait ses œuvres).

Composer

Les grands Hommes font-ils l'Histoire ?

▶ **Faut-il étudier les Hommes illustres...**
Longtemps l'Histoire événementielle a transformé les historiens en hagiographes. Même les plus grands n'ont pas su résister : on n'oublie pas les pages célèbres que Michelet consacre, dans son *Histoire de France,* à Jeanne d'Arc.

> « Le sauveur de la France devait être une femme. La France était femme elle-même. Elle en avait la mobilité, mais aussi l'aimable douceur, la pitié facile et charmante, l'excellence au moins du premier mouvement. »

Joinville n'évoquait pas Saint Louis avec une plus grande ferveur.
De fait une longue tradition alimente ce que l'on pourrait appeler une vision individualiste et volontariste de l'Histoire. C'est que le discours historique est resté longtemps sous influence de l'Epopée. Seules les actions exceptionnelles méritaient d'être relatées et celles-ci ne pouvaient être que le fait de personnalités extraordinaires. De même qu'il était aberrant de peindre des individus anonymes et obscurs, il semblait absurde de s'intéresser aux actes quotidiens et aux volontés impuissantes des inconnus de l'Histoire. Les Hommes illustres sont en revanche des modèles commodes et l'Histoire apparaît alors, grâce à eux, comme un recueil de leçons à donner aux générations futures (significativement, le *De viris illustribus* servit longtemps de « manuel » pour apprendre... le latin aux petits Français !)

▶ **... ou bien « les éléments homogènes, infinitésimaux, qui gouvernent les masses » ?**
Il faut attendre le XIXe siècle pour que l'Homme illustre perde de sa splendeur historique. L'analyse hégélienne du rôle du Héros est à cet égard une charnière. Le grand Homme historique comme

Napoléon tient certes une place déterminante dans le cours de l'Histoire, mais sans en être pleinement conscient. Il est agi par la Raison qui se sert de lui (cf. *infra*). Cette véritable dépossession annonce l'intérêt nouveau que vont susciter les « masses » et les « sans-grades ». Ce n'est ainsi pas un hasard si dans *La Chartreuse de Parme* la bataille de Waterloo est vécue par un inconnu, Fabrice, héros du roman mais non de l'Histoire, si Frédéric Moreau, dans l'*Education sentimentale,* passe à côté de la révolution de 1848, si Tolstoï enfin dans *Guerre et Paix* montre un Napoléon véritablement « dépassé par les événements » :

> « Dans les événements historiques, les prétendus grands hommes ne sont que des étiquettes qui donnent leur nom à l'événement et qui de même que les étiquettes ont le moins de rapport avec cet événement. »

▶ **Les romanciers préparent ainsi la voie des historiens du** XXᵉ **siècle,** ceux qui vont précisément rompre avec l'événement et la personnification de l'Histoire pour étudier les coutumes, les lentes évolutions des sociétés et des mentalités, l'aménagement par les hommes de leurs espaces de vie.

Approfondir

La Raison dans l'Histoire
FRIEDRICH HEGEL (1822)

Le grand Homme, celui que dans *La Raison dans l'Histoire* Hegel nomme « l'individu historique », a connu l'expérience de la Révélation : l'Esprit du Temps s'est manifesté à lui. L'Histoire aussi a ses Mystiques.

C'est dire qu'il a compris la nécessité politique de son époque et les possibilités historiques ouvertes par le présent. Ses ambitions personnelles entrent alors en correspondance avec l'attente du moment :

> « Leur œuvre est donc ce que visait la véritable volonté des autres ; c'est pourquoi elle exerce sur eux un pouvoir qu'ils acceptent malgré les réticences de leur volonté consciente : s'ils suivent ces conducteurs d'âmes, c'est parce qu'ils y sentent la puissance irrésistible de leur propre esprit intérieur venant à leur rencontre. »

En suivant ses passions, **le grand Homme accomplit le travail de la Raison dans l'Histoire.** Il est agi plus qu'acteur et apparaît, dans l'analyse qu'en propose Hegel, comme un moyen dont se sert la Raison pour atteindre les buts qu'elle s'est fixés. Une fois, l'œuvre réalisée, les « individus historiques » quittent le mouvement de l'Histoire, ils tombent « comme des douilles vides ». César est assassiné, Napoléon déporté :

> « Le particulier a son propre intérêt dans l'histoire : c'est un être fini et en tant que tel il doit périr. C'est le particulier qui s'use dans le combat et est en partie détruit. »

De ce point de vue, **le héros hégélien est aussi un héros tragique** (« La politique est la tragédie moderne », affirmait avec lucidité Bonaparte), il affronte une fatalité et découvre que sa liberté ne cesse de se heurter sinon aux Dieux, du moins à l'Esprit. L'issue est sans surprise. Tout est joué même que ne se livre le rideau de l'Histoire, et l'*hybris* qui frappe les héros historiques, c'est de croire précisément qu'ils peuvent encore agir sur l'événement sitôt que la Raison s'est détournée de leur sort. Les Cent-Jours obéissent ainsi aux règles les plus strictes de la Tragédie, telles que les avait définies Aristote : unité de lieu — L'Europe —, unité d'action — la reconquête de l'Empire —, unité de temps — les Cent-Jours fatidiques.

A c t u a l i s e r

Le top 50 de l'héroïsme

Quels sont les héros de notre temps ? La Grèce antique avait Achille et Ulysse, le Moyen Age Roland et Olivier... Qui, aujourd'hui incarne nos valeurs ?

Car s'interroger sur les héros du temps, c'est évidemment examiner les valeurs de ce temps-ci qu'endossent quelques personnages réels ou imaginaires, toujours mythiques. Pour les connaître, inutile de chercher à lire une sorte d'épopée moderne, il suffit d'écouter les médias et de s'en tenir aux sondages. Régulièrement un institut bien connu s'inquiète, pour le compte d'un hebdomadaire non moins connu du dimanche, de la popularité des « personnalités » *(sic)* dans lesquelles se retrouvent spontanément les Français. On découvre ainsi ce qui apparaît comme un véritable « top 50 », un classement, avec des « entrées », des « sorties », des « régressions », des « progressions », etc. Mais ce baromètre de la sympathie est moins variable que le véritable « top » qui évalue les meilleures ventes de disques. Deux constantes méritent en effet d'être soulignées : l'absence des politiques dans les dix premières places, et la présence de l'abbé Pierre et du commandant Cousteau, l'un et l'autre alternativement major depuis des années.

On le voit, nos héros sont vieux et aujourd'hui bien fatigués. L'un commande aux âmes et l'autre aux hommes, mais tous les deux se sont appropriés l'uniforme que leur origine « professionnelle » leur imposait. On les identifie par deux couvre-chefs, le béret et le bonnet de laine du marin, képis détournés qui signifient autant l'autorité que la singularité. L'un milite en faveur des exclus de la société, l'autre d'un environnement malmené par la technologie ; ils se retrouvent donc dans la critique d'un système de développement qui spolie les hommes comme les animaux. Ce sont les sages qui nous rappellent à la pureté généreuse de la Nature. Ils partagent enfin un art consommé de l'utilisation des médias, ce sont des hommes qui savent jouer avec l'image, avec leur image. Déjà, en 1957, Roland Barthes avait souligné ce talent de l'abbé Pierre à se couvrir d'une « forêt de signes »... Une coupe de cheveux et une barbe font un habile « déguisement » de saint François... La conclusion de cet article intitulé « Iconographie de l'abbé Pierre », extrait de *Mythologies,* mérite aujourd'hui d'être relue, à la lumière de cet effarant « top 50 de l'héroïsme » :

> « ...et je m'inquiète d'une société qui consomme si avidement l'affiche de la charité qu'elle en oublie de s'interroger sur ses conséquences, ses emplois et ses limites. J'en viens alors à me demander si la belle et touchante iconographie de l'abbé Pierre n'est pas l'alibi dont une bonne partie de la nation s'autorise, une fois de plus, pour substituer impunément les signes de la charité à la réalité de la justice. »

Quarante ans plus tard, l'abbé « tient le coup », et l'analyse de Barthes également.

Définir

Un seul mot pour deux idées

« L'histoire est le produit le plus dangereux que la chimie de l'intellect ait élaboré », écrit Paul Valéry dans *Regards sur le monde actuel.* Il poursuit : « (Elle) justifie ce que l'on veut. Elle n'enseigne rigoureusement rien, car elle contient tout, et donne des exemples de tout. »

Au-delà de la boutade, Valéry rappelle que l'Histoire est d'abord un artifice, c'est-à-dire une création humaine, précisément un discours. L'étymologie va évidemment dans ce sens qui renvoie au verbe grec *historein,* chercher à savoir, raconter.

Mais que nous raconte « celui qui sait » *(histor)* ? Le passé, le devenir des sociétés humaines. Il faut donc discerner, comme le fait l'allemand, ce devenir de l'humanité *(die Geschichte)* du discours sur ce devenir, constitutif de notre culture *(die Historie).*

« L'Histoire que nous écrivons, explique P. Ricœur, l'histoire rétrospective *(die Historie),* est rendue possible par l'histoire qui s'est faite *(die Geschichte).* »

Histoire et vérité.

Le danger ne consiste-t-il pas, dans ces conditions, à confondre les deux acceptions du mot « histoire » en français ?

Composer

Du passé devons-nous faire table rase ?

▶ **Effacer le passé semble vain...**

La commémoration rappelle à la communauté *(cum)* le souvenir *(memor)* d'un événement fondateur qui appartient au passé. Ce rappel souligne aussi la nature oublieuse de la nature humaine. Sans l'institution pour imposer la mémoire, sans le récit des historiens pour dire ce qui fut, aurions-nous encore le moindre souvenir commun ?

De fait, Clio, la muse de l'Histoire, est bien fille de Mnémosyne, la Mémoire, au sens où, bonne fille, elle s'occupe de sa mère. Attentive à celle-ci, elle lui assure ses « vieux jours » ! Le discours de l'historien, le rituel religieux et les fêtes de la République sont des artifices, c'est-à-dire des créations humaines, **pour résister à l'action de cette Nature oublieuse qui croit tout « naturel » de faire table rase du passé.**

Car c'est bien au premier chef la Nature qui accomplit la table rase, effaçant les signes de la présence des hommes si ceux-ci ne prennent garde de les entretenir. Le philosophe John Locke comparait ainsi la mémoire à une table de bronze :

> « La mémoire est une table de bronze remplie de caractères que le temps efface insensiblement si l'on n'y repasse quelquefois le burin. »

Le texte de nos souvenirs tend naturellement à disparaître, comme des ruines sous le lierre des tableaux de Robert ou Turner. Il faut le burin, c'est-à-dire une action volontaire et violente pour le conserver. La métaphore de la table de bronze évoque celle de *la tabula rosa,* autre tablette (mais de cire) sur laquelle les Anciens prenaient les notes qu'ils comptaient ensuite effacer.

▶ **... mais le digérer est une nécessité vitale.**

Or cet attachement au passé auquel semble tenir la société, de quelle nature est-il ? Est-ce le passé qui nous est rendu présent ? Le passé renvoie évidemment aux faits révolus mais surtout il exprime l'idée que nous nous en faisons. De fait, la société et plus généralement la Culture nous lient, par la mémoire, à ce qui n'est plus et dont il ne reste que l'idée. **L'entretien du souvenir attache le présent à l'idée du passé, il fait donc dépendre le présent vécu du passé pensé.**

Nous dépendons de ce qui a disparu, le souvenir inscrit la perte au quotidien d'une existence qui découvre son aliénation.

« Je ne puis vivre que selon mes morts ! », s'exclame Barrès. Le mot tient à la fois du sublime et de l'effrayant. Il révèle la dualité d'un homme lié par nécessité à la culture et désireux toutefois d'émancipation. Faire table rase du passé, c'est peut-être aussi rechercher la rupture pour trouver la liberté. Telle est l'entreprise des Modernes (cf. fiche Modernité) et celle des hommes de 1793 (cf. fiche Révolution). Mais la modernité n'est pas la nouveauté. **Car la rupture fait toujours référence.** Les Modernes ne sont pas sans les Anciens, parce qu'ils ne sont que par rapport à ceux-là, de même que les Révolutionnaires ne peuvent s'empêcher de rappeler la République de Rome ou les vertus de Sparte.

C'est pourquoi revendiquer la table rase — et plus précisément l'effectuer — relève du **sur-humain.** Nietzsche dans la seconde dissertation de *La généalogie de la morale* n'affirme pas autre chose. Il est pourtant nécessaire de libérer la vie de l'idée du passé qui prétend l'évaluer. Il faut « faire un peu de silence — écrit-il, de table rase dans notre conscience pour laisser place à du nouveau. » La dyspepsie est un mal — une maladie de l'ensemble de l'appareil digestif. Digérer le passé, c'est le dissoudre dans un élan vital. C'est faire de ce passé, non ce poids qui résiste à l'estomac et qui fait si mal, mais **l'aliment du présent dont la consommation est la source des forces qui donnent au vivant le pouvoir d'agir.**

Approfondir

Idée d'une histoire universelle
au point de vue cosmopolitique
EMMANUEL KANT (1784)

A la fin de sa vie, Emmanuel Kant rédige, sous la forme de neuf propositions, un court essai qui suggère que l'Histoire pourrait avoir un point final. Il s'agit, pour le philosophe, de ranimer l'idée d'une Histoire universelle qu'il n'aura plus le temps ni la force d'écrire. L'évolution de l'Humanité, telle que la relatent les historiens, obéit-elle à une rationalité, a-t-elle un sens, une direction et une signification ? Quelle unité discerner dans le chaos des événements? Ne peut-on distinguer un mouvement d'unification poli-tique de l'espèce humaine? Si les réponses paraissent évidemment difficiles à établir, les questions sont comme une nécessité de l'es-prit humain pour penser l'histoire :

> « Une tentative philosophique pour traiter l'histoire universelle en fonction du plan de la nature, qui vise à une unification politique totale dans l'espèce humaine, doit être envisagée, comme possible et même comme avantageuse pour ce dessein de la nature. »

Kant rappelle ainsi que l'Histoire n'appartient pas qu'à l'histo-rien. Le philosophe est sommé d'en dégager l'universalité (*unus vertere* : tourner dans une seule direction) comme naguère le théo-logien. Pour ce faire, Kant propose de substituer à la Providence de Bossuet, la Nature. Cette dernière se sert des passions humaines et des conflits qu'elles génèrent pour accomplir son dessein secret :

> « Le moyen dont se sert la nature pour mener à bien le développement de toutes ses dispositions est leur antagonisme au sein de la Société, pour autant que celui-ci est cependant en fin de compte la cause d'une ordon-nance régulière de cette Société — j'entends ici par antagonisme l'*inso-ciable sociabilité* des hommes, c'est-à-dire leur inclination à entrer en société, inclination qui est cependant doublée d'une répulsion générale à le faire... »

Kant découvre que c'est la vanité des hommes, leur désir de domination, cet esprit toujours inventif de compétition qui sont à l'origine de toute créativité sociale. Il perçoit, avant Hegel, que rien de grand ne se fait sans passion, c'est-à-dire sans l'attache-ment intéressé des hommes. Or les passions sont partie de la nature humaine, à travers elles la Nature agit. De conflit en conflit, l'espèce approche de la réalisation de la forme d'organisa-tion politique qui autorisera le règne sans partage de la liberté. Cette forme de gouvernement, Kant l'appelle République, elle correspond à ce que nous désignons aujourd'hui par l'expression « démocratie libérale ». Cette *Idée d'une histoire universelle* ouvre la voie à l'interprétation hégélienne et annonce déjà le thème de la fin de l'Histoire.

Actualiser

La fin de l'Histoire ?

Les dernières dictatures européennes, celles de Franco en Espagne, de Salazar au Portugal et des colonels grecs, sont tombées au cours des années quatre-vingt. La décennie suivante a permis à l'Amérique du Sud (Pérou, Argentine, Uruguay et Brésil), à une partie de l'Asie du Sud-Est (Philippines, Corée du Sud) et à l'ensemble des peuples de l'Europe de l'Est d'accéder également à la démocratie. Comment ne pas s'interroger sur la signification de la poussée, depuis vingt-cinq ans, du gouvernement démocratique sous sa forme occidentale et libérale ? L'histoire contemporaine donnerait-elle raison à l'Histoire universelle de Kant et de Hegel ?

Pour l'Américain F. Fukuyama, cela ne fait aucun doute : la diffusion de la démocratie libérale à travers le monde et l'uniformisation des modes de vie qui en résulte nécessairement laissent croire à ce qu'il appelle « la fin de l'Histoire ». L'expression retient évidemment l'attention par son caractère apparemment paradoxal. On imagine la critique faussement naïve de ceux qui s'étonneraient de lire encore dans leur quotidien la relation des événements du monde entier. Annoncer « la fin de l'Histoire » ce n'est évidemment pas nier l'actualité, ni les convulsions politiques qui agitent tel ou tel peuple, ce n'est pas croire que « rien d'important ne se passera jamais plus »... C'est dire seulement que l'Histoire a atteint son but, en menant les hommes à la constitution d'un modèle social qui garantit la pleine jouissance de la liberté et assure à chacun la reconnaissance qu'il est en droit d'attendre.

La fin de l'Histoire s'inscrit dans un cadre d'analyse hégélien : l'homme pour apaiser son désir de reconnaissance — à la différence de l'animal, il peut désirer quelque chose d'immatériel — entre en conflit avec ses semblables, prêt à risquer ou non sa vie pour obtenir cette reconnaissance de sa dignité, voire de sa supériorité. C'est dans ce risque qu'il manifeste alors sa liberté. La société se divise alors en maîtres, ceux qui ont choisi le risque, et en esclaves, ceux qui ont refusé le combat pour la reconnaissance. Le maître découvre pourtant la frustration de n'être reconnu que par des esclaves... Son appétit de reconnaissance le tenaille encore et le lance dans un nouveau conflit, avec un autre maître. Cette lutte pour la reconnaissance ressemble à la guerre de chacun contre tous... Elle est tout aussi peu supportable.

En inventant la démocratie libérale, le désir d'absolue reconnaissance est satisfait (chacun étant l'égal de l'autre, et reconnu comme tel) et la violence des conflits disparaît. Sécurité et liberté ne sont désormais plus incompatibles. L'Histoire, sous sa dimension universelle, a atteint son objectif, sa fin.

Mais ce modèle a-t-il véritablement su s'imposer ? L'actualité récente semble montrer que l'Histoire est loin d'être achevée. L'émergence du phénomène religieux au Sud qui investit progressivement l'espace naturellement réservé aux politiques professionnels, les difficultés que rencontrent les peuples d'Europe de l'Est et la solution nationaliste qui ne cesse ne les tenter indiquent à présent que la démocratie libérale n'est pas la réponse-miracle attendue par tous. L'Occident paraît moins convaincant lorsqu'il exporte ses institutions...

Définir

L'humaine valeur

« Par humanisme — écrit J.-P. Sartre dans *L'existentialisme est un humanisme* — on peut entendre une théorie qui prend l'homme comme fin et comme valeur supérieure... ». Pour l'humanisme, en effet, c'est l'Homme qui donne sens à la vie des hommes. Cette idée relève peut-être aujourd'hui de l'évidence, mais il faut savoir qu'elle apparut, à partir du xvie siècle, comme une véritable révolution intellectuelle. Dans l'Antiquité grecque, c'est par exemple la Nature qui assigne un sens aux choses en général et aux actions des hommes en particulier. C'est ensuite Dieu et sa Providence qui finalisent les existences humaines.

Bref, avec l'Humanisme le monde devient à l'échelle humaine. Le projet est enivrant, il ne doit pas cacher qu'il porte en lui la conscience de nouvelles limites. La nature humaine est en effet faillible et la signification que l'homme se donne désormais le droit de formuler et de distribuer autour de lui, cette signification ne saurait être que provisoire et fragile, prudente et contestable. L'homme en s'installant au cœur des choses impose du même coup le doute à l'origine de toute connaissance et toute reconnaissance.

Composer

La machine est-elle le pire ennemi de l'Homme ?

▶ **Si le rapport de l'homme à la machine est ambigu...**

Qu'est-ce qu'une machine ? Le meilleur ou bien le pire des artifices ? Les hommes fabriquent des machines mais ils les détruisent également (à l'instar de ces premiers ouvriers du textile qui brisèrent au XVIIIe siècle les métiers à tisser sur les conseils de Ludd. Le « luddisme » est au monde ouvrier ce que la jacquerie est aux paysans). Les machines retirent de la peine au travail mais elles rongent également le travail des hommes. Bref, les machines opèrent-elles un retour de la technique contre le technicien, instruments d'une version actuelle de l'apprenti-sorcier ?

Car la menace ne semble plus relever aujourd'hui de la science-fiction. Bien-sûr les « robots » ou l'ordinateur central de *2001* ne sont pas en passe de dominer les hommes, au sens de les asservir. Mais peu à peu, discrètement systèmes automatisés et intelligences artificielles commencent à extraire l'homme du monde du travail, au risque de lui rendre la nature totalement inintelligible.

▶ **... le travail de l'imaginaire en dissipe l'équivoque...**

Or la méfiance à l'égard des machines n'est pas neuve. La fascination qu'elles exercent s'accompagne depuis toujours d'une crainte, celle d'avoir façonné le pire ennemi de l'Humanité.

Ce sont d'abord les rouages de la machine qui effraient. Une machine, c'est un système, c'est-à-dire une articulation volontiers figurée comme une horlogerie de roues dentelées s'entraînant inexorablement les unes les autres, comme disposées afin d'emporter le « machiniste ». Articulation et répétition se retrouvent pour structurer notre angoisse d'une « fatalité artificielle » qui pourrait broyer l'individu. Le trait est encore plus net lorsque la machine se prête au jeu de la métaphore pour signifier l'organisation anonyme et aveugle : n'évoque-t-on pas de la sorte « la machine administrative » ou bien « l'appareil d'Etat » ? Les rouages sont dès lors ceux de la bureaucratie. *Le procès* de Kafka illustre efficacement cette hantise : K... se laisse progressivement prendre par les « dents » de la machine judiciaire qui tourne absurdement.

▶ ... **et permet d'identifier la machine comme un appareil à déshumaniser.**

Si la machine apparaît bien comme le pire ennemi de l'homme (contrairement à l'outil qui se donne comme une sorte de prothèse naturelle du corps) c'est qu'elle est un système articulé, doté de l'unité mystérieuse d'un organisme. Elle est capable d'être produite et de reproduire à l'infini, susceptible d'acquérir une autonomie complète par rapport à son créateur, au point de transformer celui-ci à son tour en machine. Car si elle ne retire pas tout travail à son utilisateur, la machine parvient quand même à le déshumaniser. La machine est aussi capable de faire de celui qui l'actionne l'un de ses propres rouages. Ce n'est plus l'homme qui utilise la machine mais bien l'inverse. C'est ainsi que Ferdinand, le héros de Céline, comprend à Detroit comment le travail à la chaîne finit par enchaîner le travailleur à la machine et comment sous l'effet du bruit et des vibrations, l'homme devient à son tour machine : « On en devenait machine aussi soi-même à force » *(Voyage au bout de la nuit)*.

Approfondir

Pantagruel
FRANÇOIS RABELAIS (1532)

Pantagruel, son père, Gargantua, sa mère, Badebec, et son grand-père, Grandgousier partagent deux caractères essentiels : ils sont gigantesques et perpétuellement assoiffés. D'ailleurs le grand gosier de l'un et la bouche ouverte de l'autre (*bader :* ouvrir, en ancien français) disent assez au lecteur l'intention de l'auteur : célébrer la soif!

Le nom que Rabelais attribue à son jeune géant, Pantagruel, est emprunté aux Mystères du Moyen Age. Il était en effet porté par un diablotin facétieux qui versait du sel dans la bouche toujours quémandeuse des ivrognes. Par un juste retour des choses, la créature de Rabelais est perpétuellement assoiffée : il faut 4 600 vaches pour l'alimenter quotidiennement en lait ! Sa naissance marque en outre la fin d'une longue période d'aridité climatique.

Le symbolisme est transparent : après une longue période de sécheresse intellectuelle, l'époque médiévale, les hommes peuvent à nouveau étancher leur soif de connaissances et prendre, grâce à cette nouvelle alimentation, la taille des géants. L'Humanisme a donc le visage de Pantagruel, jeune prince démesuré, confiant et toujours avide de nouvelles nourritures.

L'appétit de Pantagruel est évidemment intellectuel. Son père, dans une lettre désormais célèbre définit pour lui un programme d'études encyclopédique. Les Sciences, les Arts et les Lettres sont convoqués, mais aussi l'éducation physique et la connaissance des techniques artisanales, pour façonner l'homme nouveau. Cette ouverture exceptionnellement large marque un progrès que Gargantua ne manque pas de noter à l'intention de son fils :

> « Le temps était encore ténébreux et sentait l'infélicité et la calamité des Goths, qui avaient mis à destruction toute bonne littérature, mais, par la bonté divine, la lumière et dignité a été de mon âge rendue ès lettres, et y vois tel amendement que de présent à difficulté serais-je reçu en la première classe des petits grimauds, qui en mon âge viril étais (non à tort) réputé le plus savant dudit siècle. »

Les doctes d'hier ne seraient aujourd'hui que des écoliers. L'Humanisme dégage ainsi une ligne de progression de l'esprit humain que les philosophes du XVIIIe siècle sauront exploiter. Parce que nous avons tout à apprendre, tout nous est donc possible. Corrélativement à ce qu'il faut bien identifier comme de l'optimisme, l'Humanisme refuse d'instituer une hiérarchie entre les savoirs. Rien ne se perd, tout est bon à prendre, tout est matière à apprendre et restitue à l'apprenti un égal plaisir de connaître :

> « Que nuit savoir toujours et toujours apprendre, fût-ce d'un sot, d'un pot, d'une guedoufle, d'une moufle, d'une pantoufle ? »

Actualiser

« La Culture mondiale »

L'idéal unificateur de l'Humanisme est-il en train de devenir réalité, une réalité qui tournerait au cauchemar, identifié par Jacques Lesourne sous l'expression de « culture mondiale » ? Celle-ci paraît être d'abord le produit d'une époque de communication. Elle s'exprime en anglais, dans les aéroports, les grands hôtels, les centres économiques des mégapoles, les séminaires des chercheurs. Bref, c'est la culture d'une certaine *jet set* qui ne concerne qu'une « élite » internationale, habituée aux voyages et aux échanges. Mais cette culture « aristocratique » a la propriété de disposer de medias puissants propres à une culture de masse.

De fait ces « acteurs de la culture mondiale » diffusent par l'intermédiaire des grandes agences d'information ou des feuilletons télévisés une culture standardisée. Peu à peu se dessine et s'impose ce *new way of life,* une accoutumance aux repas hamburgers-frites, façon Mac Donald, des téléfilms, façon *Dallas,* des chansons, façon Madonna... tout cela en même temps à Hong-kong, Miami, Dakar, Madrid et Paris. Ainsi, le tour du monde peut aujourd'hui s'effectuer sans le moindre dépaysement. Evidemment, cette pseudo-culture mondiale n'est mondiale que si le monde appartient bien aux Etats-Unis. Car il ne s'agit plus ni moins d'exporter des produits américains à travers l'exploitation d'un mode de vie que l'on présente comme un modèle. Il ne faut donc pas s'étonner que certains effets de cette promotion « culturelle » à l'échelle planétaire relèvent parfois du pathétique et du dérisoire. On a vu ainsi apparaître sur les registres d'état civil français des petites « Sue-Helen » et des petits « John Ross », victimes de la fascination que semblent exercer sur leurs parents les personnages particulièrement odieux du feuilleton *Dallas.* Quand tous les Sue-Helen et les John-Ross de France et de Singapour se donneront la main pour fredonner ensemble *Like a virgin...* Vision d'horreur !

Ainsi la « culture mondiale » s'oppose radicalement à la civilisation à laquelle sont attachés les humanistes. A l'universel de ceux-ci répond aujourd'hui la particularité d'intérêts économiques bien localisés. La standardisation du mode de vie contemporain ne laisse pas en effet de susciter au moins une question : est-il possible — comme le croyaient les humanistes du xvie siècle et ceux du xviiie — d'unifier les hommes sans les dégrader ? Le sublime de l'entreprise saura-t-il se débarrasser du grotesque de notre réalité ?

Définir

Contre la Société

Seul devant la tombe de Goriot, le cœur encore ravagé par le sentiment de la déréliction, sur fond de crépuscule, Rastignac défie la Société :

> « Il lança sur cette ruche bourdonnante un regard qui semblait par avance en pomper le miel, et dit ces mots grandioses : "A nous deux maintenant !" »

Un homme rendu à la petitesse de sa dimension sociale prend conscience qu'il ne peut se constituer que s'il se met en scène **contre** la société dans laquelle il s'est découvert si solitaire. De fait, le roman de Balzac s'achève sur cette révélation : Rastignac est un individu, un atome social qui ne peut survivre que dans un combat à livrer à la société tout entière. Comme la plupart des textes romanesques du XIXᵉ siècle, *La comédie humaine* relate, entre autres choses, **cette lutte de l'individu contre la société.** Balzac comme Stendhal ou Flaubert, saura ainsi faire de cet affrontement « .de l'individu qui pense contre la société qui dort », pour reprendre la formule si frappante du philosophe Alain, la matière de son œuvre.

> « La société est toujours pressurante et toujours aveugle. Elle produit toujours la guerre, l'esclavage, la sujétion, par son mécanisme propre. Et c'est toujours dans l'individu que l'Humanité se retrouve. »

Propos, Alain.

C o m p o s e r

Perdu dans la foule,
l'individu cesse-t-il d'être un homme ?

▶ **Perdu dans la foule...**

Avec les Révolutions, commence l'ère des foules. Il est curieux de noter que la modernité met en scène quasiment de façon simultanée l'individu et la foule (cf. *Le peintre de la vie moderne*, C. Guys y épouse les foules). Or qu'est-ce qu'une foule ? Dans un article célèbre paru dans *Le Gaulois* du 23 mars 1882, Maupassant définit la foule comme « un vaste individu collectif ». La foule a une individualité, **elle a une âme, elle est un corps.**

Si la foule a cette cohésion soudaine, c'est que les individus qui la composent communient, au sens religieux du terme, dans l'affirmation d'un idéal commun, d'une colère commune, d'une impatience ou d'une déception que chacun partage avec son voisin. Maupassant évoque ainsi le « mystère » que constitue une foule, insistant par là sur la dimension sacrée, eucharistique de tout phénomène de masse. De fait, les cérémonies organisées par Hitler à Nuremberg ou les premiers grands concerts en plein air de type Woodstock laissent percevoir une ferveur presque religieuse.

Que la foule soit l'effet d'une véritable communion sacrée, Rousseau le pressent dans la *Lettre à d'Alembert sur les spectacles* lorsqu'il évoque la fête. La foule y contemple sa cohésion. Elle est actrice et spectatrice de cette fusion des individus dans ce vaste moi collectif.

L'individu se perd mais s'y retrouve-t-il ?

▶ **... l'individu moderne trouve son identité.**

Dans *Nadja*, Breton relate sa première rencontre avec cette femme étrange qui donne son nom au « roman » au milieu d'une foule avec laquelle l'un et l'autre « tranchent ». En effet, si Breton remarque Nadja, c'est qu'elle « va la tête haute », à la différence de cette foule de travailleurs éreintés qui avancent le dos voûté. La foule permet aussi aux individualités de marquer leurs différences, d'affirmer leur distinction. Se sentir seul dans la foule, quelle satisfaction narcissique ! Le dandy peut jouir alors pleinement de son recul par rapport à l'agitation du monde. Ainsi Baudelaire observe-t-il dans *Le port,* depuis le môle, la foule des marins qui débarquent et embarquent sur les quais.

La foule permet donc aussi bien la distinction que la dissolution de l'individu. Mais elle agit toujours en véritable catalyseur. Ainsi faire corps avec la foule, c'est découvrir en soi la présence d'un fonds commun à tous les autres, c'est s'avouer participer à des angoisses et à des pulsions inconsciemment collectives. De la même façon, découvrir sa solitude au cœur de la foule, c'est aussi apprendre sa différence radicale.

Bref, la foule est un phénomène éclairant pour la nature des rapports de l'individu au groupe. Elle signifie à la fois ce collectif irrationnel logé dans la raison individuelle mais aussi, par le rejet qu'elle provoque, qu'il y a dans l'individu une forme de singularité irréductible.

Approfondir

Essais sur l'individualisme
Genèse 1
LOUIS DUMONT (1981)

Pour qui interroge le devenir des sociétés d'Occident, il est une énigme que L. Dumont s'efforce de résoudre : **comment ces sociétés sont-elles brusquement passées d'une structure holiste** (la communauté prévaut sur chacun de ses membres) **à une constitution individualiste ?** De fait, l'Antiquité et le Moyen Age ne connaissent que des systèmes à l'intérieur desquels l'individu se voit assigner une place précise et fixe. Il n'a d'identité sociale que par rapport au groupe, c'est une petite partie soumise au tout.

On l'a noté, le mouvement de retrait de la sphère collective sur la sphère individuelle est amorcé par les sagesses hellénistiques, particulièrement le stoïcisme. Il se poursuit et s'affirme avec le christianisme qui soustrait l'individu de la société, en dévaluant cette dernière :

> « La valeur infinie de l'individu est en même temps l'abaissement, la dévaluation du monde tel qu'il est : un dualisme est posé, une tension est établie qui est constitutive du christianisme et traversera toute l'histoire. »

En ouvrant à l'individu les portes de la Cité de Dieu, le christianisme lui permet d'ignorer celle de César. Il invente un type humain spécifique que L. Dumont nomme « l'individu-hors-du-monde ». L'étape est décisive mais elle n'autorise pas à penser cette contradiction qu'est la « société individualiste »... Il convient pour la comprendre de déterminer comment s'est effectué le retour de l'individu dans le monde. Valorisé au ciel, l'individu doit aussi apparaître sur la terre comme une authentique valeur.

C'est à Calvin et aux continuateurs de la Réforme de Luther que revient la tâche de faire de l'individu un modèle de citoyen. Grâce au mécanisme de l'élection divine et par le refus de laisser subsister entre Dieu et les hommes des intermédiaires (les prêtres) l'opération est désormais possible. La volonté divine désigne en effet dans la société certains élus :

> « La tâche de l'élu est de travailler à la glorification de Dieu dans le monde, et la fidélité à cette tâche sera la marque et la seule preuve de l'élection. Ainsi l'élu exerce sans relâche sa volonté dans l'action. »

« L'individu-hors-du-monde » doit manifester dans le monde cette individualité que lui confère Dieu, en se saisissant de toutes les occasions de profit et de réussite matérielle qui s'offrent à lui selon la volonté divine. Le calvinisme réinstalle l'individu dans le monde et fait de sa réussite sociale le signe de son élection.

Actualiser

Un nouveau type humain : l'individu autiste

Les sociétés individualistes ont évidemment produit un nouveau type humain. Gilles Lipovetsky dans *L'ère du vide* en rappelle ainsi l'évidence :

> « C'est la révolution individualiste par laquelle, pour la première fois dans l'histoire, l'être individuel, égal à tout autre, est perçu et se perçoit comme fin dernière, se conçoit isolément et conquiert le droit de la disposition de soi... »

Ce nouvel homme, qu'on appelle **individu**, estime ainsi que la société lui doit, sans retour, un certain nombre d'avantages dont la liste croît avec sa confiance en soi, celle d'un sujet roi dans une cité objet. Des droits toujours plus nombreux, et plus aucun devoir : la participation électorale s'amenuise, la durée du service national et la quantité d'appelés du contingent diminuent. Paradoxalement plus l'individu se détache de la vie communautaire (repli sur la sphère des loisirs et du plaisir solitaires) plus il demande à la collectivité. C'est tout juste si la société ne lui doit pas les moyens d'une réussite matérielle dont il prétend jouir individuellement. Parallèlement à ce processus, la technique offre l'illusion de l'autosatisfaction. On croit qu'il est désormais possible de se former soi-même (voir les dispositifs « interactifs » que la diffusion du CD-Rom ne va pas manquer de favoriser), comme il est possible de vivre seul toutes les virtualités d'une existence librement programmée. Un casque sur le visage, des électrodes placés sur l'épiderme et toutes les aventures sont alors à vivre « à la carte ».

Il est remarquable de constater que l'individualisme progresse avec la technologie du virtuel, comme si le détachement de l'individu par rapport à la communauté sociale s'accompagnait — effet-retour ? — d'un détachement de la réalité. De fait, la seule réalité humaine est sociale (nous ne pouvons nous déprendre de cette interdépendance des besoins et des désirs) : s'émanciper de la société conduit nécessairement à s'émanciper de la réalité. De l'autonomie à l'autosuffisance on croit accomplir le pas libérateur qui mène à l'**autarcie.** Ne sombre-t-on pas plutôt dans l'**autisme** ?

D é f i n i r

Les affaires des autres

L'intellectuel ne se définit plus simplement par le travail de son « intellect », c'est-à-dire sa capacité à manier des concepts et à pratiquer l'abstraction. L'affaire Dreyfus est passée par là, elle a donné au mot une acception et des connotations qu'il n'a plus perdues par la suite. Lorsqu'ils décident en effet de peser de tout le poids de leur notoriété d'écrivain en faveur de Dreyfus, Zola, Gide, A. France et Péguy se disent « intellectuels ». Ils revendiquent ce devoir d'ingérence dans les grands débats de société et prétendent sortir de leur sphère de compétence.

Comme Sartre le rappellera fréquemment, par la suite, un intellectuel c'est « un type qui s'occupe de ce qui ne le regarde pas ».

Mais l'artiste, le scientifique ne sont des intellectuels que s'ils jouissent aussi d'une reconnaissance populaire. N'est pas Zola, n'est pas Sartre qui veut. En quelque sorte il faut avoir conquis ce *« droit de regard » sur ce qui ne regarde pas !* L'intellectuel n'est là que par la confiance qu'inspire l'écrivain ou le chercheur... Et peut-être, pour que le jugement de l'intellectuel garde toute son autorité, faut-il qu'il ne soit pas systématique — dans les deux sens du terme, c'est-à-dire trop fréquent et trop simplificateur.

Composer

Pourquoi tuer Socrate ?

▶ **Le cas Socrate, tel que le représente Platon...**

Athènes, 399 avant Jésus-Christ : un jeune poète nommé Mélétos porte plainte contre le vieux Socrate, âgé alors de 70 ans. La démarche est appuyée par l'orateur Lycon et le puissant Anytos, homme d'affaires et politicien avisé. Socrate, que chaque Athénien connaît, pour l'avoir au moins une fois croisé dans la Cité, entouré de ces jeunes gens qui suivent chacun des débats qu'il engage, est accusé de « corrompre les jeunes gens et de ne pas croire aux dieux auxquels croit la Cité et de leur substituer des divinités nouvelles » (*Apologie de Socrate*).

Le Socrate que montre Platon dans l'*Apologie* (en grec la « Défense ») accueille cette accusation avec beaucoup de désinvolture : il n'a pas préparé son discours devant le tribunal et plaisante même avec Mélétos, comme si tout cela, au fond, n'était pas sérieux. Il a tort. Car s'il juge que l'accusation ne tient pas, celle-ci n'en demeure pas moins d'une extrême gravité. Ce n'est pas tant l'idée d'une « corruption » de la jeunesse qui paraît menaçante que celle relative à l'impiété. Si la religion grecque n'a pas en effet de dogmes ni un véritable clergé, elle est fondamentalement liée à la vie de la Cité. Les dieux protègent la ville, sont invoqués pour garantir la morale, les serments, les lois. Bref, remettre en cause les dieux, c'est contester l'ordre de la Cité. Socrate est accusé de propager parmi la jeunesse des idées qui mettent en danger la cohésion de la Cité. Son action est dite désagrégatrice, elle fait de lui *stricto sensu* un « danger public ». Ajoutons que Socrate est accusé d'avoir propagé des idées contraires à la démocratie athénienne et d'avoir sympathisé avec le système élitiste de Sparte.

▶ **... fait du philosophe athénien...**

Platon laisse Socrate improviser sa défense. Cette improvisation devient alors un véritable plaidoyer pour ceux que l'on nommerait aujourd'hui les « intellectuels », c'est-à-dire tous ceux qui irrésistiblement sont attirés par ces questions « qui ne les regardent pas » (mais dans lesquelles ils veulent voir pourtant en question l'intérêt général). Socrate s'est voulu un taon, cherchant à dénoncer le caractère illusoire des valeurs sur lesquelles la majorité des citoyens fonde sa conduite. Sa méthode ? L'ironie, c'est-à-dire la feinte ignorance. Et de fait, Socrate passe ses jours à interroger ses contemporains sur leurs certitudes, leurs spécialités, sur ce dont ils supposent la bonne connaissance acquise : il interroge l'apparence de l'évidence. Pour savoir ce qu'est le courage on ira solliciter un soldat, pour le langage un spécialiste de la parole, etc. De réponses en questions nouvelles l'interlocuteur voit ses certitudes s'effriter et surgir la contradiction entre ce qu'il affirmait au début de l'entretien et ce qu'il défend à présent. En rhétorique cette figure qui fait saillir la réfutation d'une thèse du simple exposé détaillé de celle-ci porte le nom d'*elenchus*. Socrate a évidemment l'habileté du sophiste et le maniement expert des artifices du langage. Mais il retourne ces techniques contre leurs utilisateurs, dénonçant par exemple « ces gens de métier » qui savent si bien dissimuler leurs intérêts particuliers derrière le souci de l'intérêt général. Ce sont en effet tous les Meletos, tous les Angtos et les Lycon que la méthode socratique dérange. Ceux-là vivent de la croyance aux apparences. Tant que le paraître est identifié à l'être Meletos peut faire de son art une activité supérieure, Lycon vendre son talent à manier l'opinion et Anytos poursuivre ses affaires personnelles sous le couvert de la politique. Les uns comme les autres en accusant Socrate ne défendent pas la Cité menacée mais leur propre situation sociale.

▶ **... le modèle de l'intellectuel à venir.**

Si Socrate meurt c'est d'avoir voulu détruire les apparences et toutes les certitudes que conforte l'habitude, c'est d'avoir donné au philosophe, au « manieur d'idées », un véritable rôle politique. Car la politique ne saurait être l'affaire de spécialistes, faute de faire alors de la Cité un univers de mensonges, de tromperies et partant d'injustices. A l'instar de ce taon qui darde et réveille le dormeur, l'intellectuel agit sur les consciences pour en stimuler l'action. Seul celui qui s'attaque à tous les conformismes mérite en ce sens le qualificatif d' « intellectuel ». Socrate préfigure bien, par le questionnement qui n'accouche que de la certitude d'une incertitude générale, cet écrivain qui jette dans le débat public le poids de sa notoriété pour que rien ne soit jamais tenu pour acquis. L'un et l'autre apportent un désordre salutaire à la Cité qui s'en défend pourtant, au prix quelquefois d'une injustice.

A p p r o f o n d i r

L'opium des intellectuels
RAYMOND ARON (1955)

Aron note avec intérêt la difficulté qui surgit à vouloir définir précisément ce que nous entendons par « intellectuel », ou plutôt qui nous qualifions de la sorte. On opposera d'abord l'intellectuel au travailleur manuel, mais il faut observer que l'exigence de qualification requise augmente avec le développement économique. Plus une société développe en effet le secteur d'activités tertiaire, plus les « intellectuels » se font rares ou plutôt prétendent s'éloigner du souci d'efficacité pratique. R. Aron explique ainsi que le professeur de droit aura l'avantage sur l'avocat, le chercheur sur l'ingénieur, etc. Comme si l'intellectuel se définissait désormais par son détachement à l'égard de la réalité sociale, par une sorte de repli idéaliste pour contester le matérialisme de l'existence. Par tradition cette attitude renvoie à celle de ceux qui composaient dans la Russie du XIXᵉ siècle « l'intelligentsia » :

> « Détachés de l'ancienne société, ils se sentaient unis par les connaissances acquises et par l'attitude qu'ils adoptaient à l'égard de l'ordre établi. »

L'intellectuel semble donc être par nature celui qui condamne ou critique la société. **La critique peut, à cet égard, revêtir trois formes.** Critique **technique,** elle propose des ajustements pour résorber tel ou tel dysfonctionnement ; critique **morale,** elle évalue ce qui est en fonction de ce qui devrait être ; critique **idéologique,** elle condamne la société actuelle au nom d'une société à venir.

Les intellectuels français, explique en 1955 R. Aron, ont choisi la critique idéologique, l'idéologie retenue est le marxisme. Pourquoi ?

La thèse de l'ouvrage polémique de R. Aron, rédigé alors que J.-P. Sartre a su au lendemain de la guerre se constituer en modèle de l'intellectuel, tient en ce que les intellectuels ont choisi le marxisme pour les illusions qu'il leur permettait d'entretenir. L'idéologie, c'est l'opium des intellectuels. Elle leur ouvre les portes des paradis artificiels en même temps qu'elle soulage leur douleur, la douleur de n'être plus reconnus du Peuple. Par les mythes que

diffuse l'idéologie marxiste (la Gauche, la Révolution, le Prolétariat que R. Aron commence par analyser dès les premiers chapitres), les intellectuels croient pouvoir adhérer encore à un Peuple
qui les ignore :

> « Les Occidentaux, les intellectuels surtout, souffrent de la dispension
> de leur univers. L'éclatement et l'obscurité de la langue poétique, l'ab-
> straction de la peinture, isolent poètes ou artistes du grand public qu'ils
> affectent de mépriser, du peuple pour lequel au fond d'eux-mêmes ils
> rêvent d'œuvrer. »

Pour masquer au Peuple et à eux-mêmes cet écart que la modernité sans cesse creuse, les intellectuels se réfugient dans la suren-
chère : idéologique destinée à leur faire oublier ce qu'ils ne sont
plus, c'est-à-dire précisément des intellectuels, au sens de Zola,
A. France ou M. Proust.

Actualiser

La pétition : de la quête de l'Absolu
à la requête de l'absolution

L'image de l'intellectuel n'en finit donc plus de se brouiller,
comme pour faire du texte de R. Aron, *L'opium des intellectuels,*
une terrible prophétie. Aujourd'hui, certains n'hésitent même plus
(faute d'idéologie pour « recoller » au Peuple) à se servir du débat
public pour entretenir une notoriété déclinante, fragile et mal assise
sur une œuvre mineure que chacun oublie sitôt qu'elle est produite.
Je ne vais pas à Sarajevo pour attirer par mon attention celle d'un
public qui me connaît et qui me suit, mais pour attirer sur moi l'attention du public qui m'ignore. Qu'on imagine Zola, profitant de
l' « Affaire » pour promouvoir *Nana,* et on aura une petite idée de
ce qui sépare deux fins de siècle. On croyait avoir tout vu, tout bu
de cette honte qui ne fait pas rougir nos « intellectuels » si dépendants des médias... Pourtant non, avec la lettre réclamant grâce
pour les condamnés du Procès dit du « sang contaminé », signée
par une trentaine de Nobel et quelques « mandarins » de la
recherche médicale, une page nouvelle est écrite du récit désolant
de la déchéance d'une belle idée. C'est à présent la notion de péti-

tion (grâce à laquelle s'est constitué précisément l'intellectuel, puisque ceux qui signaient en faveur de Dreyfuss se réclamèrent de ce nouvel épithète) qui se trouve dégradée par une démarche dégradante : naguère en quête de Justice et d'Absolu, désormais à la requête d'une absolution... André Glucksmann, au terme de *La fêlure du monde,* s'en indigne à bon droit : Sartre ou Beauvoir n'en croiraient pas leurs yeux, eux qui ont pourtant signé pour les causes les plus variées, et parfois les plus contradictoires.

Qu'est-ce qu'une pétition ? L'étymologie nous dit **qu'il s'agit d'une demande,** la demande est publique et c'est par elle, principalement, que l'intellectuel agit, qu'il cherche à peser de tout son poids dans le débat social : **des « particuliers » en appellent à l'universel.** Avec ce nouveau sens de la pétition d'autres particuliers réclament une grâce d'exception... « Vous vous situez, écrit Glucksmann en s'adressant à ces signataires nouvelle manière, *de facto* hors d'atteinte et au-dessus des lois. Loin d'abolir les privilèges, vous en réclamez d'exorbitants qui consacreraient l'infaillibilité mandarinale et l'Immaculée Recherche et Développement. »

Qui sont ces hommes qui entendent à présent peser du poids de leur notoriété professionnelle sur le débat public afin de défendre, non l'innocent injustement condamné, mais le coupable sous le prétexte qu'il appartient à la même corporation ? Faudra-t-il inventer pour eux le mot « anti-intellectuel » comme on fit naguère pour l' « anti-héros » ?

D é f i n i r

Une contre-parole

La langue s'oppose à la parole comme la société à l'individu. L'une ne peut donc aller sans l'autre.

Barthes dans *Eléments de sémiologie* rappelle que la langue se définit comme la partie sociale du langage. Elle n'est rien d'autre qu'un système de valeurs contractuelles grâce auxquelles la communication est rendue possible. C'est en effet parce que je me suis entendu avec d'autres pour attribuer à des mots des significations (élaboration du lexique) et pour établir des règles d'utilisation de ces mots dans des phrases (constitution de la syntaxe) que je suis capable de les comprendre et de m'en faire entendre.

Toutefois la conscience de ma singularité et la certitude de détenir une voix unique m'incitent à rechercher un mode d'expression qui m'est propre. J'éprouve la nécessité de parvenir avec les mots de tous à dire ce qui ne saurait appartenir qu'à moi : j'ai besoin de me construire une parole. « La parole — explique R. Barthes — recouvre la partie purement individuelle du langage. »

On l'a compris, la parole se prélève évidemment sur la langue mais en retour, elle transforme aussi cette dernière. Certains faits de langue furent d'abord des faits de parole : ce sont les néologismes — toujours produits par une parole — qui font vivre la langue.

Composer

Quels pouvoirs nous donnent les mots ?

▸ **Les mots donnent le pouvoir...**

Prendre la parole, c'est aussi prendre le pouvoir. Dans les démocraties modernes la lutte pour le contrôle des médias comme le souci d'en occuper le fauteuil directorial, qu'on n'ose plus appeler le trône. Rien n'a donc changé depuis Athènes et les Sophistes.

Il faut d'abord savoir se faire entendre : Démosthène contraignait ses élèves à déclamer face à la mer, la bouche pleine de gravillons, afin d'acquérir puissance vocale et bonne articulation. L'art de la persuasion vient ensuite sous la forme des techniques d'agencement du discours et d'une science de l'écart qu'il faut préciser. Les mots donnent le pouvoir à celui qui sait creuser en eux un écart, celui du sens propre au sens figuré, celui de la figure de style. Il est ainsi un *trope* (figure de rhétorique, en grec) dont le maniement est indispensable au démagogue : la **synecdoque.** Avec la synecdoque, je prends la partie pour le tout ou plutôt je fais prendre à mon interlocuteur la partie pour le tout. L'image est bien innocente lorsque j'invite untel à dormir sous « mon toit ». La partie, le toit, que je mets en valeur indique mon désir de lui assurer protection... Toutefois la synecdocque peut aisément tourner à la manipulation politique lorsque je présente mon intérêt particulier comme l'intérêt général, lorsque je fais de la défense de mes droits, celle du droit, lorsque je feins de prendre mes qualités pour des droits naturels, inhérents à l'Homme...

▸ **... à celui qui détient le pouvoir de nommer.**

De ce pouvoir qu'on peut tirer des mots comme de tout signe, les sophistes de l'Antiquité et les conseillers en communication de la modernité savent bien jouer. Mais la fascination qu'exerce peut-être sur nous ce jeu ne doit pas nous conduire à ignorer que le mot manifeste un pouvoir plus qu'il n'en crée. Le pouvoir commence avec la nomination. Rousseau le rappelle dans le second discours lorsqu'il fait de l'acte d'appropriation un acte de nomination (voir Propriété). Les Grecs le manifestèrent en désignant de sobriquets ridicules les réalisations prestigieuses des Egyptiens dont ils occupaient le territoire (Pyramide, obélisque, etc.). Dans un ouvrage publié en 1974, intitulé *Linguistique et colonialisme,* Louis-Jean Calvet montre que le pouvoir du colonisateur s'exprime dans l'acte qui consiste à modifier le nom, à débaptiser pour dégrader ensuite par un autre mot, ridiculement concret le plus souvent. Le Cameroun qui rassemble les peuples Kotoko, Bamiléké, Fang, Fali, Douala est devenu ainsi le pays des crabes (du portugais : *cammeroes*) :

> « Ce mépris des appellations autochtones relève d'un mépris plus vaste pour les peuples ; les territoires et les habitants n'existaient pas avant l'arrivée du colonisateur... »

Ce pouvoir de nommer à nouveau s'avère être un pouvoir de nier.

Approfondir

Leçon
ROLAND BARTHES (1977)

La leçon inaugurale de la chaire de sémiologie littéraire du Collège de France traite de la relation de la langue au pouvoir. Depuis ce lieu « hors pouvoir » institué par François Iᵉʳ au XVIᵉ siècle, Barthes rappelle en effet que le pouvoir est tapi dans le discours, ce dernier fut-il prononcé en toute gratuité. Parler, c'est assujettir.

Le pouvoir se manifeste de façon plurielle. On ne lutte jamais vraiment contre le pouvoir mais contre les pouvoirs. Ce qui éparpille ainsi la notion et la rend parfois presque insaisissable, c'est qu'elle est, dit Barthes, « le parasite d'un organisme trans-social », la langue. Le pouvoir est logé en chacun de nous par le moyen de son discours, il revêt alors toutes les formes de celui-ci.

> « Nous ne voyons pas le pouvoir qui est dans la langue, parce que nous oublions que toute langue est un classement et que tout classement est oppressif... »

Non seulement la langue impose un ordre syntaxique mais elle oblige également à dire d'une certaine manière. Elle me force à ne pouvoir choisir qu'entre deux genres, féminin et masculin ; elle me contraint à marquer mon rapport à l'autre soit par le *tu*, soit par le *vous*... et s'il me plaisait de maintenir entre les deux une ambiguïté, ou simplement une hésitation ?

> « Ainsi par sa structure même, la langue implique une relation fatale d'aliénation. »

La langue m'attache à cette « autorité de l'assertion » mais elle me fait aussi passer sous les fourches caudines de la « grégarité de la répétition ». Non seulement je suis condamné à asséner, je suis aussi voué à répéter, répéter les mots des autres, les mots de tous... Extirper une parole de la langue réclame du sujet un effort exceptionnel.

Ne peut-on échapper à la tyrannie de la langue que par le silence ? Je ne puis fuir effectivement que dans la blancheur de la page ou bien dans le mutisme. Difficile de prétendre s'y résoudre lorsque l'on s'installe en chaire pour faire état publiquement de ses recherches... C'est pourquoi R. Barthes propose de mettre en œuvre un programme de résistance. On peut en effet résister par la littérature :

> « Cette tricherie salutaire, cette esquive, ce leurre magnifique, qui permet d'entendre la langue hors pouvoir, dans la splendeur d'une révolution permanente du langage, je l'appelle, pour ma part : **littérature.** »

La littérature « triche la langue » en ce qu'elle s'efforce de l'utiliser chaque fois de façon singulière et inattendue. Les figures et les images poétiques forcent à leur tour les mots à s'élancer vers un sens second, imprévu. La syntaxe est malmenée, son « efficacité » devient elle aussi « secondaire ».

Voilà donc l'objet d'étude du nouveau professeur : la littérature en tant qu'elle est résistance à la langue par la subversion des signes (il s'agit d'inaugurer la chaire de sémiologie **littéraire** !). Mais comment se défendre dans son propre discours d'enseignant de l'aliénation inhérente à l'usage de cette langue à laquelle il semble évidemment impossible d'échapper ? Comment se déprendre de cet exercice incontrôlable du pouvoir ? Quelle méthode de déprise proposer ?

> « Et je me persuade de plus en plus, soit en écrivant, soit en enseignant, que l'opération fondamentale de cette méthode de déprise, c'est, si l'on écrit, la fragmentation, et si l'on expose, la digression, ou pour le dire d'un mot délicieusement ambigu : l'excursion. »

Fracturer son propre texte et libérer son discours de toute préméditation, c'est effectivement ménager au lecteur comme à l'auditeur des interstices dans lesquels ils sauront glisser leur interprétation.

Actualiser

Protectionnisme linguistique ?

C'est la langue qui fait l'unité de la nation. On connaît la thèse célèbre de Fichte. Alors que les troupes françaises défilent dans Berlin, Johann Gottlieb Fichte invente en quatorze discours (*Discours à la nation allemande,* 1807-1808) le pangermanisme : l'Allemagne est faite par ceux qui parlent l'allemand, et qu'importe l'Histoire !

> « Je néglige absolument et je répudie les distinctions et les divisions que des événements néfastes ont introduites depuis des siècles dans notre nation. »

Cette affirmation des valeurs ethnico-linguistiques dont le disciple de Kant fait son cheval de bataille sonne évidemment, à l'époque, comme un aveu d'impuissance politique. Lorsque l'ennemi est devenu l'envahisseur que reste-t-il sinon la culture pour continuer le combat perdu par les armes ?

Aujourd'hui, le dispositif de « protection linguistique » que le Parlement français s'apprête à mettre en place n'est peut-être pas sans nous rappeler qu'un autre combat vient d'être perdu, celui de l'économie. Que signifient ces envolées lyriques d'un ministre qui prétend pénaliser l'usage des mots étrangers dans la vie quotidienne, sinon que les produits américains défilent à leur tour dans les linéaires des grandes surfaces ? La loi interdit désormais l'emploi de termes étrangers dans les publicités, elle oblige à faire du français la langue de tous les colloques et de tous les contrats. Plus radicalement, « toute inscription ou toute annonce apposée ou faite dans un lieu ouvert au public ou dans un moyen de transport en commun » sera rédigée en français sous peine de lourdes amendes. Fini le temps des « fast foods » et vive la « restauration rapide ». Le recours au « protectionnisme linguistique », on l'a vu avec l'exemple de Fichte, est le plus souvent un pauvre substitut. Quelques mois après la signature des accords du GATT, ces mesures annoncées de « purification linguistique » paraissent bien dérisoires. Que les xénismes impurs abreuvent alors les champs toujours bien labourés de notre orgueil national !

Mais au-delà de la raillerie qu'un tel train de mesures ne manque pas de susciter, la réflexion découvre une absurdité : une langue ne se développe que par les emprunts aux langues étrangères. L'intégration linguistique ne se décrète pas mais elle ne peut davantage être empêchée : quelle puissance publique aurait les moyens de raccompagner à la frontière « cocktail », « one man show », « spot » ou « jogging » désormais en situation irrégulière ? Verbaliser les annonceurs, cela suffira-t-il pour que les uns et les autres cessent d'utiliser un vocabulaire anglo-saxon qui pour beaucoup a la saveur du rêve et de la réussite. Que la France devienne un modèle de développement social et tout naturellement le français s'imposera non seulement en France mais dans le monde entier. On sait, depuis l'Antiquité gréco-latine, que les peuples parlent la langue des vainqueurs parce que celle-ci les associe à la victoire. Le français, l'espagnol, le portugais et le roumain se sont constitué sur les dépouilles des nations que les Romains avaient soumis... Commençons donc par gagner ou par figurer avec les Américains du moins *ex aequo*... pardon, « à égalité » !

Définir

Une doctrine du pouvoir limité

En 1812, les rédacteurs de la constitution d'Espagne prennent le nom de *liberales* parce qu'ils prétendent désormais borner l'absolutisme de la monarchie et défendre les libertés individuelles. Les premiers libéraux, au sens politique du mot, sont nés.

On l'aura noté, la liberté est alors définie par eux de manière négative, comme une absence de contrainte. Il s'agit donc d'imposer des limites au pouvoir de l'Etat. Le libéralisme réclame moins d'Etat tant dans la régulation du marché, c'est-à-dire de l'économie, que dans la vie privée et publique du citoyen. Moins d'Etat, cela ne signifie pas moins de lois. La loi au contraire garantit la liberté, comme le rappelle F. A. Hayek :

> « Quand nous obéissons aux lois, au sens de règles générales et abstraites, formulées sans référence à une application éventuelle à nous-mêmes, nous ne sommes pas soumis à la volonté d'un autre homme et par conséquent nous sommes libres. »
>
> *La constitution de la Liberté.*

Il s'agit bien, pour les libéraux, d'assurer le règne de la loi, en limitant l'intervention de l'Etat.

Composer

En quoi la liberté des Anciens diffère-t-elle de celle des Modernes ?

▶ **L'avènement du sujet-citoyen...**

John Stuart Mill, définissant en 1859, dans *De la liberté,* la liberté politique comme un ensemble de limites au pouvoir qu'exerce la société sur l'individu, précisait :

> « Elle (la liberté) se présente sous de nouvelles formes dans l'ère de Progrès où les groupes les plus civilisés de l'espèce humaine sont entrés maintenant. »

Cette liberté nouvelle rompt avec celle des Anciens, semble-t-il... En qui fondamentalement la liberté politique d'un Athénien du ve siècle diffère-t-elle de celle d'un bourgeois anglais du xixe ?

L'homme n'est homme, dans l'Antiquité, que s'il est libre, c'est-à-dire au fond, détaché de toute obligation économique, de tout besoin naturel. La politique commence là où s'arrête la nature, repoussée au-delà de l'enceinte de la Cité, ou bien confinée dans l'espace privé de la maison *(oikia)*. Dès lors les intérêts particuliers, au sens d'attachements sensibles, ne sauraient pénétrer l'agora. La liberté politique s'exprime dans la recherche commune du bien collectif et la volonté de se rallier la majorité des opinions. Il n'y a guère de conflits entre l'individu et la société puisque la notion même d'individu se trouve diluée dans la représentation organiciste de la Cité (un organisme composé d'organes), pas de heurts entre le civil et le politique puisque (conformément d'ailleurs à ces deux étymologies) ce sont des synonymes. La liberté politique s'éprouve donc en commun.

Avec la modernité, c'est-à-dire la révolution entamée par le « sujet », qui découvre grâce à la science (d'où l'allusion à l'idée de Progrès) la mesure de son empire sur les choses, **la liberté devient individuelle.** Si notre rapport à la liberté politique s'est modifié, c'est précisément que la société a découvert l'individualisme. (Voir **Individu**). Cet individualisme (qui succède à des siècles de représentation holiste) se développe avec la conviction désormais partagée par tous les citoyens que ceux-ci sont également libres.

► **... a radicalement modifié le sens de la liberté politique.**
La notion d'individu permet en effet de penser l'articulation de la
liberté et de l'égalité, laquelle apparaît véritablement comme
l'aboutissement de l'Humanisme des Lumières *(« Les hommes nais-*
sent et demeurent libres et égaux en droits... »). La liberté politique
dérive quasiment de la reconnaissance de l'égalité des hommes
entre eux, elle est la réponse que doivent donner les Institutions à
la question soulevée par la redéfinition de la nature humaine à
laquelle s'est livrée au siècle précédant le jusnaturalisme.

C'est donc dans l'individu désormais que réside cette « énergie »,
cette liberté d'agir et de créer dans laquelle les sociétés modernes,
libérales, vont confier leur espoir. Il importe donc de protéger cet
individu désormais souverain contre une société avec laquelle il
n'est plus nécessairement solidaire. On comprend mieux, dans ces
conditions, **pourquoi l'équilibre des pouvoirs apparaît comme le trait**
d'union de tous les régimes « libéraux ». L'exécutif séparé du législatif comme du judiciaire laisse aux individus-citoyens une marge
de liberté politique nouvelle. Chacun des trois pouvoirs contrôlant,
ou plutôt équilibrant les deux autres, le pouvoir ne se manifeste
plus dans l'absolu d'une relation de servitude calquée sur le schéma
gouvernants-gouvernés. Une nouvelle définition du citoyen a produit de nouvelles institutions pour la Cité.

A p p r o f o n d i r

De la liberté des Modernes
BENJAMIN CONSTANT (1797)

A la fin du siècle des Lumières, *Du contrat social* n'en finit pas de
susciter polémiques et débats. C'est en particulier contre lui et son
auteur, J.-J. Rousseau, que B. Constant entreprend de publier ce
texte, *De la liberté des Modernes,* véritable manifeste du libéralisme
politique. Constant s'insurge en effet contre l'idée même d'un
« contrat social », idée dont Rousseau n'eut pas la paternité (elle
parcourt le xviiᵉ siècle) mais qu'il sut vulgariser et que la Révolution reprit à son compte. Pour ce jeune politicien ambitieux, l'idée
d'un contrat social, loin d'assurer la liberté politique, paraît être
« le plus terrible auxiliaire de tous les genres de despotisme ».

En effet, l'argumentation de Rousseau semblait laisser croire que la soumission à la Volonté Générale offrait à chacun la chance de ne plus obéir jamais à quiconque. Constant veut dénoncer la supercherie :

> « Il arrive qu'en se donnant à tous, il n'est pas vrai qu'on ne se donne à personne ; on se donne au contraire à ceux qui agissent au nom de tous. »

En effet, Rousseau feint d'ignorer que la démocratie directe, seul gouvernement possible de la Volonté Générale, n'est pas viable en France. Le peuple sera toujours représenté et ses représentants sont des individus particuliers, sujets à des passions, attachés à des intérêts. Dès lors, comment penser encore que les lois formulées puis votées par ces individus sauraient garantir les libertés de tous les autres citoyens ? Constant explique ainsi que le règne de la Loi ne garantit jamais vraiment les libertés individuelles, que l'Etat ne peut réconcilier l'individu avec l'universel, bref qu'il y a entre la société, comprise comme la sphère des relations interpersonnelles, et l'Etat un fossé que les meilleures intentions ne parviendront pas à combler. Avec Constant s'ouvre une ère de méfiance à l'égard de la prise en charge par la puissance publique de la protection des libertés du citoyen. On exprime désormais les plus vifs soupçons à l'égard de ceux qui prétendent agir au nom de tous.

Benjamin Constant est aussi un écrivain romantique, il sait qu'un homme n'adopte jamais que son propre point de vue. Comment faire accepter en effet à l'auteur d'*Adolphe* qu'un individu puisse tenir un autre discours que celui de ses passions ?

Actualiser

Du libéralisme sauvage

Il est des expressions que la pratique journalistique lexicalise, c'est-à-dire fixe une fois pour toutes dans l'usage de la langue et que l'on utilise ensuite sans y penser davantage. Ainsi en va-t-il de ce **libéralisme sauvage** apparu avec R. Reagan et M. Thatcher au quotidien des articles qui se faisaient alors les observateurs d'une expérience quasiment inédite de dérégulation économique. Libéralisme au superlatif, le « libéralisme sauvage » dit pourtant beaucoup plus qu'on ne l'imagine.

L'expression relève à première lecture de la figure de l'oxymore (une contradiction dans les termes). Comment le libéralisme qui prétend sauver la liberté individuelle, et qui par conséquent, préserve dans la cité l'une des spécificités de la nature humaine pourrait-il apparaître « sauvage », c'est-à-dire du côté du retour de la nature (*silva,* la forêt; voir : **Sauvage**) et partant d'une bête contre quoi l'humanité précisément se constitue ?

Pourtant cette liberté-là, la liberté rendue aux individus d'entreprendre sans que l'Etat régule l'entreprise, inquiète pour le désordre qu'elle implique. De fait, le « libéralisme sauvage » exprime de ce point de vue clairement son refus d'une société trop bien ordonnée sous l'autorité de l'Etat. Il y a de l'anarchie dans l'air... Effectivement, si l'on s'en tient précisément à ce que disent les mots, le libéralisme absolu et anarchiste par le refus de l'autorité qu'il signifie... « Quiconque nie l'autorité et la combat est anarchiste », écrit Sébastien Faure dans l'*Encyclopédie anarchiste.* Ainsi libéralisme et anarchisme se retrouvent dans une même « sauvagerie » à rejeter tout ce qui peut contraindre et assujettir l'individu. Il n'est donc plus surprenant de lire dans l'édition du journal *Le peuple,* daté du 3 décembre 1849, la déclaration suivante :

« Le véritable révolutionnaire est essentiellement libéral. »

L'adverbe est à prendre au sérieux : par **essence** le révolutionnaire réagit contre l'ordre social qu'il prétend détruire.

Définir

Libre, par nature

La liberté s'éprouve dans l'action. Elle désigne en effet la qualité de celui qui agit sans contraintes extérieures à sa nature (la chute libre d'un corps, par exemple), à sa fantaisie ou à sa volonté (le libre arbitre). On le comprend, le champ d'investigation qu'ouvre l'idée de liberté est large : liberté physique, liberté morale, liberté civile... Dans tous les cas, la liberté renvoie à ce pouvoir de détermination qui n'a d'autre source que lui-même. René Descartes, dans une lettre datée du 7 mai 1641, met ainsi en évidence la grandeur de cette liberté qui consiste « ou dans une grande facilité que l'on a à se déterminer, ou dans le grand usage de cette puissance positive que nous avons de suivre le pire, encore que nous connaissons le meilleur ». La force de la liberté se fait donc sentir quand nous agissons en suivant nos inclinations ou bien contre nos intérêts si nous en sommes pleinement conscients. Dieu a laissé sa créature **libre** de faire le Mal en toute connaissance de cause, comme si la liberté était le signe distinctif de l'humanité.

On ne sera pas surpris, par conséquent, de voir figurer au premier rang des droits naturels proclamés en 1789, une liberté constitutive de la nature humaine. Mais cette liberté grâce à quoi les hommes définissent leur humanité, que devient-elle contrainte dans l'enceinte de la Cité ? La politique a-t-elle pour fin de lui permettre

de se développer ou bien ne lui impose-t-elle pour fin de lui permettre de se développer ou bien ne lui impose-t-elle pas des
contraintes qui la font disparaître ?

Composer

La politique libère-t-elle les hommes ?

▶ **C'est dans la Cité...**

Les hommes ne sont libres qu'en tant qu'ils sont les membres
d'une communauté politique, c'est du moins ce qu'affirmaient les
Grecs. L'Ordre de la Cité s'avère être la condition nécessaire à la
manifestation de la liberté. Le philosophe Alain reprend cette idée
d'une interaction de la notion d'ordre sur le concept de liberté :

> « L'ordre et la liberté ne sont point séparables, car le jeu des forces,
> c'est-à-dire la guerre privée à toute minute n'enferme aucune liberté ;
> c'est une vie animale livrée à tous les hasards. »
>
> *Politique.*

L'expérience de la liberté semble n'être possible qu'à l'abri de
l'ordre politique. Pourtant, cet ordre politique est aussi perçu
comme une menace pour la liberté. H. Arendt rappelle ainsi :

> « N'est-il pas vrai que nous croyons tous d'une manière ou d'une
> autre que la politique n'est compatible avec la liberté que parce que et
> pour autant qu'elle garantit une possibilité de se libérer de la poli-
> tique ? »
>
> *La crise de la culture.*

De fait, l'histoire des idées apprend à discerner ces mouvements
de repli, voire de rejet, que peuvent susciter de trop vives décep-
tions politiques. Quand la Cité échoue à garantir la liberté des
citoyens, ceux-ci s'en détournent, à la recherche d'une nouvelle
aire où pouvoir l'exprimer. La faillite de la démocratie athénienne
qui tourne à la tyrannie, pousse à la guerre avec Sparte et succombe aux Macédoniens, ne peut qu'inciter, à partir du IVe siècle,
à la fuite. L'agora se vide et chacun découvre que le « for intérieur », la conscience, est un lieu moins décevant. Les sagesses
héllénistiques, épicurisme et stoïcisme, principalement, se chargent
de l'illustrer.

▶ **... que l'Homme découvre le plein usage de sa liberté.**

Pourtant, cette liberté de conscience n'est qu'un « pis aller ». Elle procède d'une déception qui ne remet pas en cause les fondements de l'épreuve de la liberté. Si la politique échoue quelquefois à nous en persuader, elle n'en reste pas moins le moyen le plus direct et premier grâce auquel reconnaître cette liberté.

En effet, **si la liberté ne va pas sans la politique, c'est que l'une et l'autre se manifestent dans l'action.** « Etre libre et agir ne font qu'un » écrit H. Arendt. C'est dire que la liberté ne s'éprouve **absolument** que dans l'action toujours libre de motif et de but visé comme effet prévisible. Quand sommes-nous pressés d'agir à l'instant sans autre cause ni conséquence que la nécessité ? Quand l'urgence d'une situation imprévisible nous précipite hors des chemins plus ou moins tortueux de nos calculs et de nos intérêts.

C'est pourquoi H. Arendt voit dans le concept machiavelien de *virtù* (qu'elle se propose de traduire par « virtuosité » alors que le terme vient du latin *virtus,* souvent traduit par force, courage) l'illustration la plus juste de cette liberté d'agir. En effet, la *virtù* est une aptitude innée du prince à tourner à son avantage les circonstances les moins prévisibles. Cette disposition est la caractéristique du véritable politique. On pourrait ainsi reprendre la formulation d'Aristote en la modifiant : la politique est bien la condition nécessaire à l'exercice de la liberté, mais le mot politique doit être entendu au sens restreint « d'activité princière » consistant à gouverner les hommes et à supporter les cabrements de l'Histoire comme les surprises de la Fortune.

A p p r o f o n d i r

Discours sur l'origine de l'inégalité parmi les hommes
JEAN-JACQUES ROUSSEAU (1755)

Comme il l'avait déjà fait en 1750 Rousseau choisit de répondre à la question que l'Académie de Dijon met au concours à propos des conséquences — bonnes ou mauvaises — du progrès des Sciences et des Arts. L'interrogation porte cette fois sur l'origine de l'inégalité parmi les hommes. L'intitulé exact du sujet, « Quelle est l'origine de l'inégalité parmi les hommes et si elle est autorisée par la loi naturelle », incite à dégager les caractères inhérents à la nature humaine. Les hommes sont-ils, par nature, inégaux ? De fait, Rousseau annonce d'emblée son projet : « C'est de l'homme que j'ai à parler... » Or ce discours ne peut être facilement tenu... En effet, pour *connaître* les hommes, encore faudrait-il les *reconnaître*... L'âme humaine s'est à ce point altérée avec le développement de la vie en société, qu'il est quasiment impossible d'en appréhender la nature. Toute véritable observation est donc rendue vaine, il faut « écarter les faits » et imaginer quel fut l'homme avant que l'état civil ne vienne à le corrompre.

La fiction normative qu'élabore alors Rousseau a pour fonction de montrer que l'homme a perdu sa liberté originelle :

> « De libre et indépendant qu'était auparavant l'homme, le voilà par une multitude de nouveaux besoins assujetti, pour ainsi dire, à toute la nature, et surtout à ses semblables dont il devient l'esclave en un sens en devenant leur maître ; riche, il a besoin de leurs services ; pauvre, il a besoin de leurs secours... »

A l'état de nature, l'homme est sous la seule dépendance de cette nature nourricière qui subvient à tous ses besoins. Il vit seul et silencieux, dans une solitude bienheureuse que vient parfois rompre une rencontre hasardeuse qui permet à l'espèce de survivre. Mais un cataclysme le contraint d'unir un jour ses forces avec celle d'un autre solitaire... Il découvre qu'il a besoin d'un semblable... La société est née dans la découverte d'un besoin que la nature ne peut satisfaire... Ce besoin enchaîne les individus les uns aux autres et les pousse à une constante comparaison, nourrissant orgueil et volonté de domination... La liberté naturelle qui est indépendance à l'égard des semblables est alors perdue à jamais.

L'originalité du propos de Rousseau ne tient pas seulement à la forme que prend sa réflexion, elle se manifeste également dans le désir de lier l'idée de liberté à celle d'égalité. La liberté procède en effet de l'égalité. Les hommes sont tous égaux devant la nature, ils sont libres. La société parce qu'elle repose sur l'inégalité que développe la concurrence que les individus se livrent condamne les sociétaires à la servitude :

> « L'homme est né libre et partout il vit dans les fers. »

Le projet politique dont *Du contrat social* est porteur vise à retrouver non l'état de nature, définitivement perdu, *mais cette liberté que l'égalité permettait de garantir.*

Actualiser

Liberté d'indifférence, indifférence sans liberté

Le Progrès n'apporte pas nécessairement la Liberté. Rousseau montre, par exemple, dans le *Discours sur les Sciences et les Arts,* qu'il sert même de « cache-misère », un moyen de rendre aux citoyens l'oppression supportable. Confort et liberté politique s'accordent mal.

En 1964, dans un essai intitulé *L'homme unidimensionnel,* Herbert Marcuse scrute cette idéologie de la « société industrielle avancée » qui fait du Progrès un absolu et semble se donner comme un espace privilégiant les libertés individuelles. Il affirme aux premières pages de son œuvre :

> « Le confort, l'efficacité, la raison, le manque de liberté dans un cadre démocratique, voilà ce qui caractérise la civilisation industrielle avancée et témoigne pour le progrès technique. »

Est-ce donc rendre raison à Rousseau ?

De fait, Marcuse ne manque pas de relever une apparente contradiction : les sociétés industrielles se sont pourvues de constitutions démocratiques, elles ont pris la forme d'états de droit et prétendent lire la marche du progrès technologique au développement de la liberté des individus. La technique « libère » ainsi les hommes de la peine, du travail, de la souffrance, rendant le quotidien matériellement plus « facile à vivre ». Mais cette libération permet-elle de nouvelles libertés ? Dans une société individualiste, l'idée de liberté joue le rôle de la prime de séduction. Les individus-citoyens ont le désir d'éprouver qu'ils sont, dans l'espace social, libres de leurs choix et de leurs mouvements. Ce désir il convient de le satisfaire ; l'adhésion de chacun à la structure sociale est évidemment à ce prix. Or présenter au désir son objet, ce n'est pas toujours le combler. Marcuse découvre en effet que les sociétés industrielles modernes ont inventé un leurre efficace : la liberté décevante. C'est la liberté de concurrence par des prix qui ont été préalablement arrangés, la liberté d'une presse qui sait se censurer elle-même, la liberté enfin de choisir entre des marques qui ne font que recouvrir un même produit. Ce simulacre de liberté passe toujours par une mise en scène du choix. Ce qu'il faut, c'est choisir mais choisir au fond dans l'indifférence. La prolifération des marques, la multiplication des combinaisons offertes à chacun (la consommation se fait désormais « à la carte ») flattent le narcisse individualiste mais l'étourdissent du même coup. Tout semble possible, alors tout devient indifférent. La liberté décevante est liberté d'indifférence, celle que Descartes définit dans la quatrième méditation métaphysique :

> « Cette indifférence que je sens lorsque je ne suis pas emporté vers un côté plutôt que vers un autre par le poids d'aucune raison, est le plus bas degré de la liberté, et fait paraître plutôt un défaut dans la connaissance, qu'une perfection dans la volonté... »

Le consommateur qui hésite devant les linéaires du supermarché, l'électeur sans opinion qui dans l'isoloir ne sait plus pour qui voter (« Ils se ressemblent tous »), **ceux-là vivent leur liberté de citoyen à son plus bas degré...**

Pas de maître sans Jacques

« Il est écrit là-haut, dit Jacques à son maître, que tant que Jacques vivra, que tant que son maître vivra, et même après qu'ils seront morts tous deux, on dira Jacques et son maître. »

Que le maître anonyme du roman de Diderot n'apprécie guère la prophétie de son valet, cela n'a rien de surprenant. Pourtant, il faudra qu'il s'y résigne, c'est bien Jacques qui fait son maître comme Figaro le comte... L'ordre que l'on croyait immuable s'est retourné contre les privilégiés... Le maître a trouvé son maître en la personne de son valet !

La comédie retrace à travers les siècles ce lent retournement de situation. Sous Molière, le valet a déjà conquis le premier rôle mais sa prééminence se cache dans la solidarité qu'il manifeste toujours à l'égard du noble qu'il sert. Avec le XVIIIe siècle, Marivaux et Beaumarchais montrent des valets qui s'opposent à leurs maîtres et leur donnent la leçon : le *dominus* (le maître de maison, en latin) découvre en son valet un *magister* (le maître d'école). Parce qu'il est au contact direct de la réalité ce dernier a développé en effet ce qui relève dans la comédie de la débrouillardise. Il a su tirer de la société un enseignement qui le place à présent en situation de supériorité par rapport à un maître trop détaché de la matière...

L'essentiel de la relation dialectique unissant le maître à son esclave, le patron à son ouvrier est déjà sensible dans la littérature des Lumières, avant même que le philosophe allemand Hegel ne lui donne sa rigoureuse formulation dans la *Phénoménologie de l'esprit.*

Composer

Qu'est-ce qu'un Maître ?

▸ **Le Maître...**

Le français n'emploie qu'un seul mot pour désigner ce que le latin distingue : le *magister* et le *dominus,* le maître d'école et le maître de l'esclave. S'agit-il d'entretenir la confusion d'un enseignant dominateur et d'un grand seigneur pédagogue à la commune sévérité ?

Evidemment l'étymologie semble opérer un choix : maître dérive de *magister.* **Tous** les maîtres d'école sont-ils pour cela des Maîtres ? Ne suis-je pas en train de dire autre chose, lorsque je dis de mon professeur, de mon instituteur qu'il est **un** Maître ? N'y a-t-il pas dans l'emploi de l'article indéfini, qui particularise ma relation à cet enregistrement, une reconnaissance supplémentaire qui l'arrache à l'univers des « profs », créatures rabougries comme le suggère le dimunitif (« Prof », c'est aussi l'un des sept nains) ?

▸ **... se distingue du pédagogue comme du Seigneur...**

Un Maître c'est celui à qui j'accorde une importance exceptionnelle par l'Autorité que je lui reconnais. Or l'Autorité échappe précisément au *magister* comme au *dominus,* elle n'est fondée ni sur la rationalité de l'un, ni sur la force de l'autre. Un Maître c'est autre chose, une autorité, un don qui le lie à moi qui l'accepte comme tel. Cela ressemble au « parce que c'était lui, parce que c'était moi » de Montaigne à La Boétie, aussi mystérieux par conséquent que peut l'être l'amitié, à cette différence que je reconnais à ce Maître le prodige de me constituer. Un Maître, c'est un auteur, au sens du verbe *augeo,* en latin « augmenter ». Son autorité se révèle être ce qui me découvre à moi-même, instance de l'Altérité féconde dont la prise de conscience est une véritable épreuve de soi.

▸ **... par l'Autorité que je lui reconnais.**

De fait, la relation au Maître est bien une relation dialectique mais à la condition de ne retenir de celle-ci que le dépassement des oppositions et des conflits. Il ne s'agit plus de domination, ni de discipline ou de pédagogie mais du passage obligé par la présence de l'Autre pour se reconnaître soi-même. Par l'admiration presque sacrée qu'il suscite, le Maître étonne *(admirari)* et entraîne après lui celui qu'il ne subjugue ni ne séduit. Il oriente magiquement le regard dans la direction de son propre regard sur les choses et s'efface, tout aussi étrangement qu'il était apparu, lorsque je comprends que la reconnaissance qu'il m'offre vient de ce qu'il a su accepter la mienne. Je me sais à présent « digne » de la fascination que j'éprouve. Le Maître **s'extrait** alors de lui-même de mon univers : « La neige qui tombe sur les cloches fond quand elle les fait sonner », expliquait Heidegger à ceux qui voyaient en lui leur Maître.

Approfondir

La servitude volontaire
ÉTIENNE DE LA BOËTIE (1549)

La soumission de la multitude à l'autorité d'un seul est une véritable énigme que La Boëtie tente d'éclairer. Comment les hommes, alors que la liberté est inhérente à leur nature, supportent-ils la servitude ? C'est en effet la servitude volontaire qui distingue avant tout l'homme de l'animal :

> « Les bêtes, si les hommes ne font trop les sourds, leur crient : vive la liberté ! »

Le phénomène est d'autant plus étrange que cette soumission est nécessairement volontaire. Il serait effectivement aisé de l'abandonner, le nombre est toujours du côté des opprimés : que peuvent les autocrates contre la volonté de la foule ? Force est donc de constater un état contre nature :

> « La seule liberté les hommes ne la désirent point ; non point pour autre raison (ce me semble) sinon pour ce que s'ils la désiraient, ils l'auraient... »

Par nature l'homme est évidemment influençable mais il est aussi raisonnable et libre. Comment, dans ces conditions comprendre l'incompréhensible ?

La Boëtie voit dans cet état de fait la conséquence d'une double dénaturation. Les gouvernés, d'abord, par habitude, paresse et facilité abdiquent rapidement. Ils jugent plus confortable de laisser à un tiers le soin de prendre à leur place des décisions. Les gouvernants, quant à eux, se laissent aller à la spirale de la tyrannie. Le pouvoir semble appeler le pouvoir et se découvre être sans limite :

« Le tyran ôte tout à tous. »

La Boëtie montre aussi — et ce point est probablement le plus intéressant — que le tyran pour maintenir sa domination sait lui associer ceux-là même qu'il domine. La ruse du gouvernant consiste à rendre complices ses propres sujets de leur servitude : « Ainsi le tyran asservit les sujets les uns par le moyen des autres. » L'idée est neuve et importante, elle suggère que le principe de la servitude volontaire est peut-être à chercher du côté de cette pyramide de servitudes que construit le tyran : remettre en question la tyrannie du Prince, c'est aussi vouloir remettre en cause celle dont chacun semble jouir à un titre ou à un autre dans la société. Chaque gouverné tient en effet à son tour le rôle du gouvernant. Tel qui obéit à son Maître se fait aussi obéir de ceux que le Maître a su lui subordonner. Ainsi la servitude est volontaire dans la mesure où elle paraît être la condition nécessaire aux desseins de la volonté de maîtrise. Quel « petit chef » n'est pas prêt à payer du prix de la servilité son pouvoir, aussi dérisoire soit-il ?

Actualiser

Les nouveaux affranchis

Entre le maître et son esclave, Rome laisse ouvert l'espace d'une liberté sous condition, celle de l'affranchi. Celui-ci ne sert plus son maître, il devient indépendant, libre d'agir à sa guise et de travailler pour son seul profit. Mais cette liberté reste partielle, l'affranchi n'est jamais citoyen de Rome, seuls ses descendants auront accès à cette humanité pleine et entière que les Romains ne reconnaissaient qu'à eux-mêmes. L'affranchi jouit d'une liberté civile, pas politique. Il peut être riche, voire très riche (Pétrone en brosse un portrait grinçant dans *Le Satiricon* à travers le personnage de Trimalcion), influent au point d'accéder à la tête de l'empire, jamais cependant il n'obtiendra par lui-même ce respect lié à la dignité de citoyen.

Si l'on transpose au monde moderne du travail la relation maître-esclave au point de voir dans la relation patron-employé un mode dégradé de l'économie servile de l'Antiquité (ce que font les marxistes lorsqu'ils réactivent, par exemple, le vieux mot de « prolétaire »), ne retrouve-t-on pas — aujourd'hui — cette tierce réalité sociale que représente l'affranchi ?

En effet, poussés par les conséquences économiques de la « crise », **de nombreux employés sont tentés de s'émanciper du lien patronal en « créant » leur propre entreprise.** Les aides que l'État apporte et les formes juridiques multiples que peut à présent prendre cette sorte d'affranchissement (du statut de « travailleur indépendant » à l'EURL) encouragent une démarche qui présente en période de chômage au moins deux avantages : un patron de plus, c'est un chômeur de moins, c'est aussi éventuellement, à terme, un nouveau créateur d'emplois. Les chambres de commerce et d'industrie proposent ainsi des stages de formation rapide qui dispensent les bases du droit commercial, de la comptabilité et de la gestion... Bref après la « lecture rapide », la méthode « Assimil », voici l'heure du « management sans peine ».

Ces aventures sont-elles des occasions d'une liberté reconquise ? La question mérite d'être posée, dans la mesure où ces encouragements à la création d'entreprise semblent bien audacieux à l'heure de la prudence, voire de la timidité face à une situation économique dont on attend qu'elle se clarifie. De fait, la plupart de ces « nouveaux affranchis » le sont en désespoir de cause. Derniers sursauts face à une inacceptable cessation d'activités, ces démarches apparaissent moins comme un souci d'accéder à une meilleure situation sociale que comme un ultime effort pour ne pas connaître le pire. Loin d'être une « promotion », la création d'entreprise est pour le nouveau patron un moyen pour échapper à ce qu'il perçoit comme une déchéance et dans laquelle il jette, avec ses derniers espoirs, parfois la totalité des indemnités de licenciement qu'il a perçues. S'affranchir donc pour ne pas régresser, la dernière chance avant une nouvelle forme de servitude.

D é f i n i r

L'esprit de la matière

L'adjectif précède le substantif. L'Allemand Wolff invente en effet, à la fin du xviiᵉ siècle, le mot « matérialiste » pour désigner « les philosophes selon lesquels il n'existe que des êtres matériels ou corporels ». Il s'agit de qualifier l'inqualifiable avant même de le nommer.

Car en affirmant que l'esprit dépend de la matière — voire qu'il en est l'une des formes —, les « matérialistes » heurtent violemment les idées reçues et acceptées en leur temps. Diderot, d'Holbach, Helvétius vont ainsi emprunter aux atomistes de l'Antiquité, Démocrite, Epicure, pour montrer que tout est matière, y compris ce qui nous semble immatériel. Il s'agit d'éliminer le surnaturel, de prétendre pouvoir rendre raison de tous les phénomènes, bref de rogner peu à peu la part du divin : le matérialisme des origines est une arme forgée par les penseurs rationalistes et athées. L'entreprise culmine en 1758 avec la publication par Helvétius d'un ouvrage intitulé par provocation *De l'Esprit* et dans lequel l'ancien fermier général montre qu'il n'y a pas une idée, ni un esprit pour la formuler, qui ne soient dépendants des circonstances, du milieu dans lequel ils sont apparus. Marx doit ainsi beaucoup à ces philosophes des Lumières. Le « matérialisme historique » que son œuvre diffuse rappelle en effet que les hommes ne peuvent prétendre s'affranchir de leur « milieu social » (voilà pourquoi ce matérialisme est historique). On connaît le mot célèbre qui préface *La critique de l'économie politique* :

> « Ce n'est pas la conscience des hommes qui détermine leur être ; c'est inversement leur être social qui détermine leur conscience. »

Composer

Le climat est-il le premier de tous les empires ?

▶ L'empire du climat...

Au chapitre quatorze du livre XIX de *L'esprit des lois* Montesquieu énonce une formule destinée à nourrir le débat qu'ouvre le matérialisme au xviiie siècle : « L'empire du climat est le premier de tous les empires. »

Il s'agit d'abord de rappeler l'évidence : les conditions naturelles de leur vie influencent le caractère des hommes, comme elles agissent sur leur physiologie. On sait que Montesquieu s'inspira de nombreuses expériences effectuées par des médecins contemporains, en particulier celles de l'Anglais Glisson qui note :

> « Un certain degré de chaleur... allonge et relâche les fibres : de là l'abattement et la faiblesse qu'on sent dans les jours chauds... Le froid resserre les fibres et produit la force et l'activité très sensibles à certaines personnes dans un temps clair et gelé... »

Agissant sur les corps, le climat modifie les comportements et permet de comprendre — non d'excuser — des coutumes et des mœurs qui nous sembleraient « barbares ». Montesquieu explique ainsi la pratique de la réclusion des femmes dans les nations exposées aux ardeurs du soleil. Dans cet Orient brûlé par la chaleur, la précocité sexuelle pousse à une exaltation sensuelle qu'il faut réprimer en protégeant du regard des autres hommes les femmes de la famille... On sait que le harem figure au nombre des fantasmes occidentaux qui se développent à l'époque !

▶ ... rappelle l'emprise de la nature...

Mais au-delà de ces explications anecdotiques qui ne laissent pas de faire sourire ou frémir aujourd'hui, il faut prendre soin de rappeler ce que disent les mots quand on les utilise. Dans la langue classique « climat » revêt une acception beaucoup plus large que celle que nous lui réservons à présent. Le terme désigne en effet une région caractérisée par son inclinaison — *klima,* en grec — par rapport au soleil. Le climat, c'est le lieu. Rappeler l'empire du climat, c'est donc dire l'influence de la Nature sur les sociétés humaines. Cet empire de la Nature permet d'ailleurs de penser l'exceptionnelle diversité des mœurs. Rien n'est plus mouvant et changeant que la Nature qui condamne ainsi les œuvres humaines au plus grand relativisme. Le motif parcourt *Les pensées* de Pascal :

> « On ne voit rien de juste ni d'injuste qui ne change de qualité en changeant de climat. Trois degrés d'élévation du pôle renversent toute la jurisprudence. »

L'idée n'est pas neuve, on la localise pour la première fois au livre VII de la *Politique* d'Aristote. Elle n'en réclame pas moins d'enraciner toute forme de réflexion politique dans une reconnaissance de l'importance de la Nature. L'Histoire dépend de la géographie.

▶ **... et permet de fonder une science politique.**

L'affirmation de ce matérialisme — l'esprit des peuples et leurs réalisations historiques dépendent de la matière première qu'offre la Nature — a pour conséquence de fonder la prétention à construire une véritable *science* politique. Grâce au regard que le scientifique sait porter sur la Nature, le politologue saura désormais analyser l'efficacité ou l'inefficacité des constructions législatives. Une juste évolution du climat peut alors répondre à la question de la bonne constitution des constitutions. Montesquieu poursuit ainsi le dessein du juriste de la Renaissance Jehan Bodin :

> « L'un des plus grands et peut-être le principal fondement des Républiques est d'accommoder l'Etat au naturel des citoyens... On doit diversifier l'état de la République à la diversité des lieux, à l'exemple du bon architecte qui accommode son bâtiment à la nature qu'il trouve sur les lieux. »

> *Les six livres de la République,* 1580.

Approfondir

Le rêve d'Alembert
DENIS DIDEROT (1759)

Sous ce titre il est d'usage de désigner un triptyque composé de l'*Entretien entre d'Alembert et Diderot,* du *Rêve d'Alembert,* à proprement parler et de la *Suite de l'Entretien.* Ces trois textes publiés très tardivement (en 1830 !) exposent, sous la forme dialoguée familière à la philosophie, les idées matérialistes de Diderot. De fait, l'encyclopédiste pousse ces thèses matérialistes dans leurs conséquences ultimes : tout est matière, l'homme n'est qu'une combinaison parmi d'autres, il se trouve pris au même titre que n'importe quel vivant dans cette permanente ébullition de la matière que le médecin Bordeu (l'un des protagonistes du dialogue mais aussi l'ami de Diderot) appelle un « biochimisme universel ». Cette représentation d'une nature où rien ne se perd ni se crée, où se déroule selon un processus épigénétique (il y a épigenèse lorsque chez un être vivant apparaît une forme nouvelle qui n'est pas préexistante) une interminable chaîne du vivant, Diderot l'attribue, avec humour, à son ami le mathématicien d'Alembert qui rêve à voix haute. Sous la forme d'un délire le matérialisme de Diderot peut donc s'accorder tous les excès.

> « Cela est de la plus haute extravagance, écrit Diderot à Sophie Volland en septembre 1769, et tout à la fois de la philosophie la plus profonde ; il y a quelque adresse à avoir mis mes idées dans la bouche d'un homme qui rêve : il faut souvent donner à la sagesse l'air de la folie, afin de lui procurer ses entrées. »

Que confie donc d'Alembert à sa maîtresse effarée, Julie de Lespinasse, et au médecin Bordeu qui tente de le rassurer ? La vision du mathématicien est celle d'une totalité dont l'homme n'est qu'une partie parmi d'autres, une partie faite d'un agrégat de molécules susceptible de se désagréger, un être fait de matière et partant soumis à ses sensations :

> « Et la vie ?... La vie, une suite d'actions et de réactions... Vivant, j'agis et je réagis en masse... mort, j'agis et je réagis en molécules... Je ne meurs donc point ?... Non, sans doute, je ne meurs point en ce sens, ni moi, ni quoi que ce soit... Naître, vivre et passer, c'est changer de formes... Et qu'importe une forme ou une autre ? »

Plus de principe spirituel, plus de mort à redouter, une volonté de réduire l'importance accordée par l'homme à son humanité (une « forme » parmi d'autres), plus de croyance par conséquent, ni de divinité... Le matérialisme est loin d'être une « folie » innocente, c'est évidemment un accès de fièvre contre la Religion.

Actualiser

Un homme « dématérialisé » ?

La leçon d'un siècle de matérialisme dialectique est simple : c'est notre rapport à la matière qui façonne nos relations sociales. La matière fait naître des comportements et ceux-ci structurent les sociétés, en forment la nature. Fernand Braudel a ainsi montré dans *La Méditerranée* comment l'or, la découverte de ses gisements les plus riches en Amérique du Sud, son acheminement à travers l'Océan avaient été décisifs pour le développement de l'espace méditerranéen et de l'Espagne de Philippe II particulièrement. Des régions se sont appauvries ou enrichies selon leur éloignement ou leur proximité de la mer. En outre, ce brutal afflux monétaire va paradoxalement provoquer la décadence du monde méditerranéen et permettre la constitution d'un « pôle » anglo-saxon beaucoup plus attractif.

Parce qu'il s'inscrit dans la matière l'homme s'enfonce en elle, ce que Samuel Beckett représente symboliquement dans *Oh les beaux jours !* (le personnage principal s'enfonce peu à peu dans un mamelon de matière pour finir par être totalement absorbé) et que Jean-Paul Sartre analyse dans *La critique de la raison dialectique* :

> « Chacun de nous passe sa vie à graver son image maléfique sur les choses. »

A ce phénomène un autre « moderne » ne manque pas d'être sensible, R. Barthes, qui dans un article célèbre, publié en 1953, voit dans la peinture flamande du XVIIe siècle une tentative de représentation de cette incrustation de l'homme parmi les choses. La matière y est toujours « apprivoisée », la substance succombe sous le poids de ses qualités :

> « Qu'ai-je besoin de la forme principielle du citron ? Ce qu'il faut à mon humanité tout empirique, c'est un citron dressé pour l'usage, à demi pelé, à demi coupé, moitié citron, moitié fraîcheur... »

Voilà donc ce que nous montre la « nature morte ».

Que les modernes — historiens, philosophes ou critiques — soient à ce point sensible à la manière dont « l'homme dépassant sa condition matérielle s'objective dans les choses », comme le formule Sartre, cela ne manque pas d'intérêt à un moment où, précisément, notre rapport à la matière se modifie à nouveau. Si ces analyses « matérialistes » du comportement social sont exactes, que nous réserve un avenir qui dépend d'un présent où les hommes s'habituent à l'idée d'anéantir la matière pour extraire, non de la matière même mais du processus d'anéantissement, de l'énergie ?

A l'âge du nucléaire, la matière est tenue à distance, parce que dangereuse, puis fracturée, fracassée, alors seulement utilisable... Quelle image nous renvoie cette énergie destructrice ? Le peintre hollandais exprimait la tranquille prospérité du marchand, le dramaturge irlandais la lente disparition des hommes dans les choses, et l'artiste de l'éphémère, celui qui détruit l'œuvre en la créant, que montre-t-il ?

Définir

Rompre

La modernité apparaît bien après les modernes. Ceux-ci revendiquent cette qualification au XVIIe siècle pour se distinguer des « Anciens », fidèles à l'imitation des auteurs grecs et latins. *Les modernes se veulent donc en rupture de tradition.*

Rejet des modèles du passé, des interprétations et des théories héritées du monde antique, la modernité frappe alors à la porte de la Science comme de la Politique. Galilée est moderne, Saint-Just et Robespierre le sont également. Le concept n'est plus seulement réservé à l'Art même si Perrault au XVIIe siècle et Baudelaire deux cents ans plus tard lui ont donné sa substance. Un seul mot d'ordre désormais : rompre. *La modernité porte ainsi en elle le principe de sa disparition...* sitôt que l'attitude de rupture systématique avec la tradition devient à son tour référentielle... Octavio Paz résume ainsi la contradiction inhérente à la modernité :

« La modernité est une sorte d'autodestruction créatrice...

« L'art moderne n'est pas seulement le fils de l'âge critique, mais le critique de lui-même. »

Point de convergence.

Composer

Peut-on dire que tout est dit ?

► **L'autorité des modèles anciens...**

« Tout est dit et l'on vient trop tard », écrit La Bruyère dans le contexte querelleur du débat entre Anciens et Modernes. De fait, le goût classique se plaît à rappeler la perfection des modèles anciens : quelle tragédie prétend-on écrire encore après celles de Sophocle ? Quelles passions n'ont pas été dépeintes, quelle réalité n'a pas été vécue par les écrivains de l'Antiquité auxquels force s'impose de céder ? N'est-il pas vain et sot de prétendre après eux inventer ? La Bruyère persiste et signe : « Un auteur moderne prouve ordinairement que les Anciens nous sont inférieurs, en deux manières, par raison et par exemple : il tire la raison de son goût particulier et l'exemple de ses ouvrages. » Les modernes sont donc des vaniteux frappés d'une *hybris* (orgueil chez les Grecs) que les dieux de l'Antiquité savaient châtier (cf. l'*Ajax* de Sophocle) !

► **... condamne-t-elle à l'imitation...**

On ne saurait donc que se livrer à l'imitation des Anciens qui eux-mêmes cherchaient à imiter la Nature. La doctrine classique, éprise de naturel et de simplicité dans l'expression est une victoire de la *mimesis*. De fait, La Bruyère ne se cache pas d'imiter Théophraste en commençant par en traduire les *Caractères*. De la même façon Boileau trouve son inspiration chez Horace, Molière chez Plaute, La Fontaine chez Esope... Il n'y aura guère que Perrault puis plus tard Voltaire et Rousseau pour oser prétendre inventer.

Or l'argument des classiques ne saurait évidemment convaincre. Car si ceux-ci empruntent en effet aux Latins et aux Grecs, leur œuvre est bien davantage qu'une simple imitation. Il ne faut pas se méprendre : **traduire, ce n'est pas imiter, c'est toujours réinterpréter.**

► **... ou à la réinterprétation créative ?**

On peut certes prétendre que tous les « scénarii » ont été imaginés. Et cela bien avant Jésus-Christ. Lire la *Bible*, en effet, c'est lire une succession d'histoires d'amour et des aventures dont la richesse ne sera plus jamais égalée. Mais si le contenu des œuvres du passé semble impérissable la forme ne résiste pas de la même façon aux injures du temps. Les langues ne cessent de se transformer, les mots naissent et meurent, quant aux choses auxquelles ils renvoient elles apparaissent et disparaissent dans le mouvement de l'histoire. A titre d'exemple illustratif, Toffler dans *Le choc du futur* parvient à évaluer quelle serait l'étendue du lexique actif (l'ensemble des mots utiles et spontanément utilisés) de W. Shakespeare ressuscité dans l'Angleterre contemporaine : l'auteur de *Macbeth* pourrait à peine comprendre et manier quatre mots sur neuf !

Si tout est dit, tout n'en demeure pas moins à redire... La traduction est nécessaire parce que chaque âge réclame sa formalisation. C'est en ce sens qu'il faut comprendre la phrase provocatrice d'A. Artaud : « Les chefs-d'œuvre du passé sont bons pour le passé, ils ne sont pas bons pour nous. » *(Le théâtre et son double)*.

Approfondir

Le peintre de la vie moderne
CHARLES BAUDELAIRE (1863)

Pour définir la modernité, Baudelaire commence par suivre, dans sa quête quotidienne de la Beauté, un artiste que désignent seulement au lecteur ses initiales M. C. G.

> « Ainsi il va, il court, il cherche. Que cherche-t-il ? A coup sûr, cet homme, tel que je l'ai dépeint, ce solitaire doué d'une imagination active, toujours voyageant à travers *le grand désert d'hommes,* a un but plus élevé que celui de pur flâneur, un but plus général, autre que le plaisir fugitif de la circonstance. Il cherche ce quelque chose qu'on nous permettra d'appeler la *modernité...* »

Sa recherche sera donc la nôtre. Mais qui est-il ? C'est un « homme-mouvement » qui parcourt le monde : c'est le correspondant de guerre d'un important quotidien britannique qu'il alimente en croquis « pris sur le vif ». Par goût autant que par profession, M. C. G. est donc un voyageur qui cherche à se fondre dans les

« paysages humains » qu'il traverse. De fait, l'anonymat que lui préserve Baudelaire (c'était la condition pour qu'il acceptât que Baudelaire lui consacrât cette monographie) est significatif de ce désir de disparaître dans les foules qu'il observe :

> « La foule est son domaine, comme l'air est celui de l'oiseau, comme l'eau celui du poisson. Sa passion et sa profession, c'est d'*épouser la foule.* »

Anonyme, il l'est alors dans la foule ; anonyme, il devient plus facilement pour le lecteur un type humain assez neuf, l'homme moderne. Il faut pourtant lui rendre son nom. Ce peintre de la vie moderne, c'est Monsieur Constantin Guys, célèbre pour son trait de crayon qui capte la beauté fugace d'un geste ou d'une expression et qui fixe la magie de l'instant.

Seule la fugacité, le transitoire semble fasciner Guys et définit du même coup ce que Baudelaire appelle la modernité :

> « La modernité, c'est le transitoire, le fugitif, le contingent, la moitié de l'art dont l'autre moitié est l'éternel et l'immuable.
>
> (...)
>
> « Cet élément transitoire, fugitif, dont les métamorphoses sont si fréquentes vous n'avez pas le droit de le mépriser ou de vous en passer. En le supprimant, vous tombez forcément dans le vide d'une beauté abstraite et indéfinissable. »

De fait, chaque œuvre d'art est, selon Baudelaire, composite. Elle est faite en particulier d'un élément qui n'appartient qu'à une époque déterminée et renvoie autant aux goûts du moment qu'à « l'esprit du temps ». Le décorum médiéval des préraphaélites, par exemple, comme la naïveté feinte et mise en scène de leur style appartiennent bien à un romantisme qui cherche à alimenter la nostalgie d'une origine définitivement perdue. Cette modernité, on la saisit également volontiers à travers les variations de l'affirmation du goût masculin qui s'exprime à propos du corps féminin. La silhouette élancée, le teint blanc, le cou étiré et le ventre bombé de la « Dame à la licorne » restituent un idéal féminin que ne partagent ni Rubens, ni les photographes de « Vogue ». Il y a bien dans la Beauté un élément contingent qui permet d'en raconter l'Histoire.

Actualiser

Le postmoderne

Le concept de postmodernité est un héritage des arts décoratifs. Il renvoie à cette attitude esthétique qui fait de la juxtaposition des styles un principe de création. La postmodernité réalise ainsi des collages. Elle s'inscrit dans le désir surréaliste d'organiser des rencontres fortuites (« sur une table de dissection d'un parapluie et d'une machine à coudre », dit Lautrémont dans *Les chants de Maldoror*) d'où la Beauté occasionnellement peut surgir. Fille inattendue du baroque, source de décalages ironiques et ludiques, la postmodernité intègre à des décors classiques des objets modernes, triviaux, incongrus. C'est elle qui pose des pyramides translucides au milieu de la cour Napoléon du Louvre, c'est encore elle qui réinvente (sans succès, il est vrai) la jupe pour les hommes ; bref, elle mélange, confond, subvertit les codes. Au mieux, elle joue. Au pire, elle tourne à l'éclectisme le plus navrant, pâle reflet d'un relativisme culturel que stigmatisent aujourd'hui les défenseurs de l'Universel.

Mais, en deçà de cette attitude qu'elle désigne, que signifie cette expression ? Comment se situer après *(post)* une modernité que l'on définit comme la forme même de la rupture avec la tradition ? Le postmoderne exprimerait-il le retour aux Anciens, retour de balancier obligé après le discrédit ? Que distingue alors la postmodernité de la tradition ?

Le philosophe J.-F. Lyotard s'efforce aujourd'hui de donner un sens littéral à ce qui littéralement semble ne pas en être pourvu :

> « Un artiste, un écrivain postmoderne est dans la situation d'un philosophe : le texte qu'il écrit, l'œuvre qu'il accomplit ne sont pas en principe gouvernés par des règles déjà établies, et ils ne peuvent pas être jugés au moyen d'un jugement déterminant, pour l'application à ce texte, à cette œuvre de catégories connues. »
>
> *Le postmoderne expliqué aux enfants.*

L'artiste postmoderne prétend alors dépasser la modernité en ce qu'il refuse de créer **contre** les tenants de la tradition. Quand les modernes transgressent les règles des anciens, les postmodernes en inventent de nouvelles. La postmodernité est-elle l'autre nom de la nouveauté ?

D é f i n i r

Vérités d'une parole trompeuse

« Le mythe est une parole », rappelle Barthes dans le dernier chapitre de *Mythologies,* intitulé « Le mythe aujourd'hui ». De fait, l'étymologie ne dit pas autre chose puisque jusqu'au vᵉ siècle avant Jésus-Christ, *muthos* et *logos* dont en grec des synonymes.

Mais l'invention puis le développement de la Philosophie et de l'Histoire, leur prétention à se constituer en discours de ce qui fut comme de ce qui est spécialisent le *muthos* dans l'acception d'une parole infondée, expression de l'imaginaire, babil fantaisiste que récuse évidemment un *logos* que l'on traduit désormais par « raison ».

Au xxᵉ siècle, les Sciences humaines redonnent son poids à un mot entendu généralement dans le sens de fable. Le mythe apparaît alors comme le moyen d'accès le plus efficace à la réalité des sociétés primitives dans lesquelles Sacré et profane sont si intimement liés :

> « Le mythe est censé exprimer la vérité absolue, parce qu'il raconte une histoire sacrée, c'est-à-dire une révolution trans-humaine qui a lieu à l'aube du grand temps, dans le temps sacré des commencements. »

> M. Eliade, *Mythe, rêve et mystère.*

Le mythe permettra également de penser comment s'est constituée la philosophie occidentale. Car le passage du *muthos* au *logos* — que n'ont pas effectué les primitifs — marque bien la volonté des Européens de proposer de la Nature une interprétation discursive et rationnelle.

Cette promotion du *Logos* suppose-t-elle que de notre vie sociale nous avons complètement expulsé le *Muthos*?

Composer

La politique peut-elle échapper au mythe ?

▶ **Le mythe...**

Comment parler au Peuple pour qu'il écoute? Comment s'adresser à tous pour recueillir les suffrages du plus grand nombre? Peut-on feindre encore de croire que les foules pensent comme un seul homme, même si parfois elles semblent agir de façon uniforme? Telles sont les questions que pose le régime démocratique aux démocrates et auxquelles répondent toujours les démagogues. Si le discours argumenté reste le moyen le plus précis, il apparaît dans le même temps le plus souvent inefficace. Les mots, parce qu'ils ne cessent de renvoyer à ce qu'ils ne sont pas, ne réalisent que rarement la concorde. Parler longuement en public, c'est prendre le risque d'être rapidement incompris. Exposer ses idées par un enchaînement d'arguments, c'est avoir l'assurance de perdre l'attention d'un auditoire d'autant plus volatil qu'il est plus nombreux.

Pour emporter la conviction rien ne vaut un message bref et simple, mieux qu'un slogan, une image. Le mythe offre au politique cette image, comme un publicitaire propose à l'annonceur un « spot » télévisé.

▶ **... est pour le politique...**

Platon présente les sophistes comme des « faiseurs de mythes ». Protagoras en particulier excelle à ces compositions (le mythe d'Epiméthée et Prométhée) mais tous les sophistes en sont friands, parce que les mythes rendent le discours plus agréable (« Alors m'est avis, dit Protagoras avant d'entreprendre le récit du mythe, qu'il sera plus agréable que je vous raconte une histoire. » *Protagoras*) et plus convaincant. En effet, **le mythe s'adresse à tous.** L'auditeur innocent l'entendra pour une aimable fable, le citoyen averti cherchera une interprétation, constituant parfois lui-même le sens qui lui convient... Bref le mythe rassemble quand le discours rationnel exclut (ceux qu'aucune éducation n'a préparé à l'entendre). La parole mythique enveloppe la politique et dévoile en même temps la nature irrationnelle de cette activité.

En diffusant des images — pas en donnant des raisons — le mythe parvient à mobiliser des énergies collectives qui ne sont pas seulement utiles au « démocrate ». Georges Sorel dans *Réflexions sur la violence* définit ainsi le mythe dans sa dimension politique : « (C'est un) ensemble lié d'images motrices. » Le mythe permet de faire agir les foules, les idéologues du totalitarisme s'en souviendront. Le mythe du Sauveur, le mythe de l'Age d'or, le mythe de la conspiration (cf. *infra*, R. Girardet) permettent de mobiliser les masses et font supporter aux plus malheureux les plus lourdes servitudes. Utile au despote comme à l'orateur grec sur l'agora, le mythe prend le citoyen par les sentiments et enfièvre une imagination qui n'attend jamais que cela. Tant il est vrai, pour reprendre la belle formule de Valéry, que « les mythes sont les âmes de nos actions et de nos amours ».

▶ **... un véritable instrument.**

La politique n'échappera pas au mythe tant que celui-ci sera utile au politique.

L'utilité est d'autant plus grande que le mythe est aussi une formidable machine à dépolitiser les débats et par conséquent neutraliser la méfiance des citoyens. Car **le mythe transforme l'Histoire en Nature,** comme l'explique très rigoureusement Roland Barthes dans *Mythologies.* Faire d'un homme ou d'un événement un mythe, c'est l'extraire de l'évidence historique pour lui donner valeur de vérité éternelle. Le mythe favorise l'éternel retour du même. Voilà pourquoi il est fondamentalement anhistorique. De fait, les sociétés que structurent fortement les récits mythiques refusent d'avoir une histoire. Le mythe abolit le passé, il régénère et assure une sorte de purification. Par le mythe on fait communiquer les foules avec ce Grand Temps dont parle Eliade (cf. « définir »), où les Dieux vivaient avec les hommes. Passé, présent et avenir fusionnent par le mythe :

> « La mythologie comprend l'histoire archétypique du monde originel ; passé, présent et futur y sont embrassés. »
>
> Novalis, *Pollens.*

Approfondir

Mythes et mythologies politiques
RAOUL GIRARDET (1986)

L'étude de **quatre mythes cardinaux** (la Conspiration, le Sauveur, l'Age d'or, l'Unité) permet à Raoul Girardet de proposer une introduction à l'imaginaire politique.

C'est qu'il existe des mythes que l'Histoire contemporaine, longtemps enseignée par R. Girardet à l'Institut d'études politiques de Paris, identifie comme spécifiquement politiques. Ces « grandes poussées d'effervescence onirique » ont une action sur la vie publique et l'historien ne saurait les négliger. Pour le spécialiste de la IVe République comment ignorer, par exemple, le « phénomène Pinay », tout aussi important que les mesures prises par le nouveau président du Conseil en 1952 ? Une parole diffuse *(muthos)* a constitué en effet un portrait étonnant de cet homme qui prétend faire de la politique en s'en méfiant (« Je sais que la politique n'est pas mon fort. Je ressemble en cela à beaucoup de Français. La politique, c'est tout juste bon à alimenter la conversation dans le train ou au café. »). Fumant sa pipe ou pêchant à la ligne, le président du Conseil devient une sorte de « héros de la normalité » qui saura sauver la France des technocrates hautains et lointains. Le cas Pinay illustre clairement ce besoin du Sauveur et à travers lui cette aptitude à produire du mythe qui semble caractériser la vie politique (jusqu'à sacraliser ici l'insignifiance).

Girardet poursuit l'analyse et dégage une typologie du Sauveur qui organise le mythe à travers l'Histoire : Cincinnatus, le vieillard rappelé aux affaires pour « sauver la patrie », Alexandre, le héros inspiré et charismatique, Solon, le fondateur, Moïse, le prophète et le voyant, sont quatre archétypes que l'imaginaire cherche à retrouver, voire combiner. Hitler incarne à la fois Alexandre, Solon et... Moïse ! A la fois conquérant, fondateur d'un nouveau « Reich » et prophète (Girardet rappelle le propos étonnant d'un Heidegger fasciné lui aussi par le Fürher : « Le Führer en lui-même, et lui seul, est, pour le présent comme pour l'avenir, la réalité allemande et sa loi. »).

On découvre ainsi, par l'analyse du mythe particulier du Sauveur, que le mythe politique tient à la fois de la fable, du récit pédagogique (sa fonction est alors d'expliquer) et du « stimulateur d'énergie », pour reprendre la formule célèbre de Maurice Barrès.

Bien sûr, le mythe révèle les angoisses collectives du groupe mais R. Girardet remarque le décalage dans lequel son expression se manifeste par rapport à l'Histoire. En effet, le mythe n'apparaît jamais à l'instant où se produit la crise dont il sera le révélateur. Il se constitue « après coup », dans la frustration d'une aspiration qui n'a su s'actualiser :

> « C'est dans l'intensité secrète des angoisses ou des incertitudes, dans l'obscurité des élans insatisfaits et des attentes vaines qu'il (le mythe) trouve son origine. »

Plus profond qu'un simple imaginaire, un « inconscient politique » reste encore à explorer.

Actualiser

Marchands de mythes

Les « faiseurs de mythes », ce sont presque toujours les sophistes, l'œuvre de Platon ne cesse de le rappeler.

Aujourd'hui les sophistes modernes que sont les publicitaires, les maîtres de la rhétorique des images, produisent encore de la parole mythique afin de vendre aux politiques la séduction indispensable au jeu démocratique. Ainsi les deux slogans qui ont marqué l'élection puis la réélection du président Mitterrand sont deux exemples modernes d'une parole mythique qui n'en finit toujours pas d'enrober le discours politique.

« La force tranquille » qu'incarne ce personnage qui semble sortir, sur l'image, d'un paysage campagnard (on distingue à l'arrière-plan, de façon stylisée, un clocher) rappelle celle de la tradition et de la nature. L'homme est un Sauveur parce qu'il permet à la communauté de renouer avec ses racines (ici le *muthos* efface toutes les marques « révolutionnaires » qui porte le sigle « socialiste ») qui renvoient toujours à l'Age d'or, souvent représenté par une nature paisible. La « force » est donc celle de l'Histoire (le passé, les traditions du terroir) et de la Nature (le terrain, précisément), la tranquillité rassure quant à l'usage qui sera fait de cette force.

« Génération Mitterrand », le slogan efface sept ans plus tard un autre handicap du candidat. Il ne s'agit plus de « faire oublier » la portée révolutionnaire de l'idéologie socialiste, l'homme a été vu à l'œuvre, on ne saurait donc redouter la violence de ses actions. En revanche, le candidat est âgé. Il faut donc gommer les rides du personnage qui pourraient inquiéter (« Aura-t-il seulement les moyens physiques d'exercer le pouvoir ?). La parole du sophiste pratique alors un subtil « lifting » en associant au nom du président sortant le mot « génération », synonyme de vie et de jeunesse. L'homme, s'il n'est plus très jeune, est un fondateur, un semeur. On retrouve l'archétype du Sauveur identifié par R. Girardet. L'expérience de l'âge lui donne les moyens de préserver la jeunesse. A nouveau nature (la vie, les semailles) et histoire (Mitterrand, l'homme d'état qui sollicite un nouveau mandat) se trouvent unies dans le mythe politique que le publicitaire invente.

On l'aura noté, l'originalité de ce discours mythique tient à ce qu'il énonce en même temps qu'il escamote. On pourrait même dire qu'il n'énonce que pour mieux escamoter, effacer la dimension révolutionnaire d'une idéologie, gommer l'âge désormais avancé... Le mythe rappelle les séductions de l'origine et fait oublier les désagréments du présent.

Définir

J'y suis né, je veux y rester

Nasci — « naître » en latin — donne « naissance », « nature » et « nation ». Les trois termes sont liés non seulement par l'étymologie mais aussi par le sens. La nation apparaît comme cet ensemble composé de ceux qui, nés dans un même espace, parlent la même langue, partagent les mêmes mœurs et obéissent aux mêmes lois : l'idée du territoire est liée *naturellement* à celle de communauté. Le philologue Furetière, au XVIIᵉ siècle, voit ainsi dans la nation « un grand peuple habitant une même étendue de terre renfermée en certaines limites ou même sous une certaine domination ». Un siècle plus tard, le mot a pris une connotation nettement politique. En effet, l'article 3 de la *Déclaration des droits de l'Homme et du Citoyen* fait de la nation le seul détenteur de la Souveraineté. A la même époque, on propose une approche nouvelle et radicalement opposée à celle que laissait envisager l'étymologie : la nation ne serait plus une réalité naturelle mais le résultat d'une multiplicité d'actes de volonté individuelle. L'abbé Sieyès définit alors la nation comme « un corps d'associés ». L'allusion au *Contrat social* est claire.

La Nation est-elle ainsi un artifice ou bien l'œuvre de la Nature ?

Composer

La nation : liberté ou déterminisme ?

▶ **Imposée et voulue à la fois, la Nation...**
Le nationalisme « objectif ».

L'étymologie (cf. *supra*) donne l'indication de critères nécessairement « objectifs » à la détermination nationale : on ne choisit pas de naître ici, ni d'entendre pour premières paroles celles que l'allemand ou le français nous font écouter.

« Ceux qui parlent la même langue, dit Fichte en 1807 dans l'un des *Discours à la Nation allemande,* forment un tout que la pure nature a lié par avance de mille liens invisibles. » Que l'on privilégie la langue ou bien l'histoire (« Je ne puis vivre que selon mes morts » dit Barrès), c'est toujours la culture que nous impose la Nation. Il est donc illusoire de croire pouvoir « changer de nationalité ».

Le nationalisme « subjectif ».

Pourtant, à cette définition déterministe s'oppose le volontarisme du nationalisme issu du XVIIIe siècle français.

La Nation résulte d'un contrat, c'est-à-dire d'un choix. C'est le sujet libre qui fait la Nation et non celle-ci qui produit des hommes liés entre eux par leur culture. Le nationalisme « subjectif » s'exprime sous la plume de Renan qui évoque « le consentement, le désir clairement exprimé de continuer la vie commune ». On connaît bien la formule : « L'existence d'une nation est un plébiscite de tous les jours. » *(Qu'est-ce qu'une nation ?)*

▶ **... révèle la situation de chacun au sein de la Société.**
L'un et l'autre.

Nationalisme « subjectif » et nationalisme « objectif » s'affrontent sitôt que l'Histoire découvre des rivalités territoriales ou économiques. Mais cet antagonisme si fréquemment perçu depuis un siècle en Europe (l'exemple de l'Alsace et de la Lorraine, au début du siècle) ne doit pas conduire à une simplification malheureuse du type « Qui a tort ? Qui a raison ? » De la même façon qu'on ne saurait imaginer un homme échapper à sa culture, celle-ci développe parfois en lui le goût de l'autonomie. Dès lors apparaît la situation particulière de l'Occident depuis deux cents ans écartelé entre une culture de la tradition et celle de la modernité, si intimement associée à l'idée de Progrès.

Une communauté de rêve.

A une conception de la nation tournée vers le passé comme à celle qui voudrait nous fixer dans l'éternel présent du « plébiscite » quotidien (et pourquoi pas de chaque instant?) ne pourrait-on opposer la perception d'une nation que définit d'abord l'idée d'un avenir commun? « L'esprit donne l'idée d'une nation, rappelle André Malraux, mais ce qui fait sa force sentimentale, c'est la communauté de rêve. »

Approfondir

Qu'est-ce qu'une nation ?

ERNEST RENAN (1882)

La conférence que prononce Ernest Renan à la Sorbonne, le 11 mars 1882, sous l'intitulé « Qu'est-ce qu'une nation? », nous apparaît aujourd'hui comme une sorte de manifeste de la conception élective de la Nation dont l'aspiration universaliste fait référence aux Lumières (du reste, Renan renvoie explicitement au *Qu'est-ce que le Tiers-Etat ?* de l'abbé Sieyès). Pourtant, il s'agit d'abord d'un texte de circonstance destiné à contrer la thèse allemande développée au début du siècle par Fichte *(Discours à la nation allemande)* et réactivée depuis pour justifier après 1870 l'annexion de l'Alsace et de la Lorraine. Le nationalisme allemand, parce qu'il s'appuie sur la notion de race et non pas sur un projet politique, est dangereux :

> « Si l'on se met à raisonner sur l'ethnographie de chaque canton — explique Renan à David-Frédéric Strauss dans sa correspondance —, on ouvre la porte à des guerres sans fin. »

Pour cesser, par conséquent, ce qu'il appelle ces « guerres zoologiques », Renan se propose de clarifier l'idée de Nation à l'esprit de ses auditeurs (une « idée claire en apparence, mais qui prête aux plus dangereux malentendus ».) Il va récuser un à un les critères sur lesquels se croit fondé le « nationalisme objectif ». La race? Le mot recouvre tant d'acceptions variées qu'il est presque impossible de s'entendre sur une définition opératoire. En outre, la question de savoir s'il existe encore en Europe des « races pures », c'est-à-dire sans aucun mélange, mérite d'être posée /

> « La vérité est qu'il n'y a pas de race pure et que faire reposer la politique sur l'analyse ethnographique, c'est la faire porter sur une chimère. »

Renvoyé à sa dimension idéologique, le critère de la race est alors écarté. La langue ? Fichte est plus directement visé (puisqu'il fait de la culture et partant de la littérature, donc de la langue, le ciment national). Or la langue, si elle invite à la réunion ne peut y forcer. Il y a quelque chose qui la transcende, quelque chose de supérieur et qu'on nommera **volonté** qui accomplit des prodiges que la communauté linguistique ne réalise pas. Un exemple ? La Suisse.

> « La volonté de la Suisse à être unie, malgré la variété de ses idiomes, est un fait bien plus important qu'une similitude souvent obtenue par des vexations. »

La religion ? L'histoire récente la confine aux limites de la vie privée. Le commerce ou la géographie ? Ils ne tiennent pas compte de la dimension spirituelle de la nation. **La matière ne suffit pas à rassembler les peuples.**

Bref, Renan prépare l'auditoire à recevoir la définition, désormais très célèbre, qu'il prépose :

> « Une nation est donc une grande solidarité, constituée par le sentiment des sacrifices qu'on a faits et de ceux qu'on est disposé à faire encore. Elle suppose un passé ; elle se résume pourtant dans le présent par un fait tangible : le consentement, le désir clairement exprimé de continuer la vie commune. L'existence d'une Nation est (pardonnez-moi cette métaphore) un plébiscite de tous les jours, comme l'existence de l'individu est une affirmation perpétuelle de vie. »

Actualiser

Vouloir être Français

La réforme du *Code de la nationalité,* proposée en France au printemps 1993, a suscité un débat souvent vif sur les principes qui doivent régler l'accès des étrangers à la nationalité française. Certains, en particulier, se sont émus de l'obligation faite à tout jeune étranger, né sur le territoire national mais de parents étrangers, d'opter pour la nationalité française entre 16 et 21 ans par une « manifestation de volonté ».

Il s'agit en clair d'exiger désormais une déclaration explicite de la volonté d'être Français qui pourrait revêtir un caractère plus ou moins solennel. Des avocats, à l'instar de maître Jean-Denis Bredin, ont alors déclaré que le principe d'égalité devant la loi ne pouvait manquer d'être bafoué puisqu'il n'est pas exigé de semblable engagement civique par les jeunes nés de parents français. Bref, le droit du sang l'emporterait d'une certaine manière sur le droit du sol, dans la mesure où celui-ci n'offrirait dans les faits qu'une voie plus lente et plus difficile à l'accès de la nationalité.

De fait, si la réforme renoue bien avec le volontarisme républicain qui est la source véritable du nationalisme subjectif français, on pourra souhaiter poursuivre plus loin la logique de la libre adhésion. Pourquoi ne pas réclamer ainsi de façon manifeste à l'ensemble des citoyens de renouveler sans équivoque le « contrat national » ? En liant par exemple la citoyenneté à l'obligation de voter. Comment croire en effet au « plébiscite de tous les jours » (qui, selon Renan, fonde la Nation) si les jours de « plébiscite » certains s'autorisent à négliger les urnes ? Vouloir être Français, c'est donc participer à la vie de la nation, c'est peut-être affirmer également qu'un droit ne vaut que par les devoirs qu'il implique nécessairement.

Définir

Toujours combatif

Débraillé, l'arme à la main et chevauchant les barricades à l'instar de l'enfant au second plan du tableau de Delacroix, *La Liberté guidant le peuple,* tel nous apparaît depuis le siècle des Révolutions ce Peuple, célébré ou méprisé, mais presque toujours en lutte. Le Peuple n'est-il jamais davantage lui-même que lorsqu'il revendique et défend ses droits?

Le mot vient évidemment du latin, mais dans cet univers antique où généraux et empereurs prétendent n'agir qu' « au nom du Sénat et du Peuple de Rome » — SPQR, lit-on sur les Aigles des légions : *Senatus populusque romanus* — l'idée de *populus* n'a que de lointains rapports avec celle d'un peuple, multitude désorganisée qui combat pour être reconnue. En effet, le *populus romanus* est bien structuré, ordonné en *gentes,* prêt à se glisser instantanément dans le strict cadre militaire. De fait, ce *populus*-là est composé, à l'origine, de ceux qui descendent des compagnons de Romulus, les fondateurs de Rome. Ces cent familles primitives, les patriciens, sont la souche du *populus* qui apparaît effectivement comme une aristocratie, ensemble de citoyens titulaires de droits et conscients de leurs devoirs (dont celui de combattre pour la République).

On l'aura noté, le *populus* diffère du Peuple par son caractère restreint et organisé (même si les nécessités militaires l'ont étendu au-delà de la seule population patricienne) mais il lui ressemble en ce qu'il revêt une dimension toujours nettement politique et se révèle à lui-même dans le combat.

C o m p o s e r

Quand le Peuple se retrouve-t-il ?

▶ **De la diversité des intérêts qu'exprime la société civile...**

La société civile donne le spectacle de la diversité : diversité des besoins, diversités des échanges, diversité des conditions de vie de ceux qui y travaillent. La Cité montre des citoyens **divisés**. Ainsi, même dans la République idéale de Platon, apparaissent des différences de statut et des fonctions variées attribuées aux uns et aux autres de par leur nature. Laboureurs, Gardiens, Rois-philosophes dessinent par avance le schéma trifonctionnel de la société médiévale *(laboratores, bellatores, oratores)*. Bref, à travers la multiplicité des situations particulières, comment discerner cette unité qui fait **le** Peuple ? La modicité des conditions par rapport aux privilèges de la noblesse ne saurait établir ce trait d'union qui pourrait lier le riche commerçant à l'employé des manufactures. De fait, ce que l'Histoire présente comme **le** Peuple n'est jamais qu'une toute petite partie d'un tout le plus souvent indifférent. Quand on parle, par exemple, du peuple de Paris, n'est-ce pas simplement, au XIXe siècle, l'ensemble des artisans et des boutiquiers dont les intérêts diffèrent essentiellement de ceux qui cultivent encore la terre non loin des « barrières » de la ville.

Et si le Peuple n'était qu'un mythe ? Un ancien rêve de fusion et de communauté, voire de fraternité, que la réalité ne cesserait de contrarier.

▶ **... l'idée du Peuple se dresse pour défendre ces mêmes intérêts menacés.**

Qu'est-ce qui rassemble sinon la guerre, le conflit, le danger ? De fait, l'unité se fait dans la menace. Hérodote avait ainsi montré que le peuple grec ne s'était constitué qu'à travers le danger perse. Sitôt celui-ci écarté, les divisions étaient à nouveau apparues pour pousser les Cités les unes contre les autres, les intérêts particuliers contre les intérêts particuliers des autres.

De la sorte l'unité du Peuple ne se fait que si les intérêts particuliers de chacun se trouvent menacés. Le Peuple ne saurait être que **combatif,** dans la paix il se désagrège. L'exemple de la « manifestation » aujourd'hui paraît éclairant. Les grandes manifestations dites « populaires » sont à présent les seules occasions données au Peuple de se retrouver. Or, quand le Peuple descend-il dans la rue ? Pour préserver des avantages acquis, pour imposer le statu quo. Les uns expriment ainsi leur souci de défendre l'Ecole libre, les autres quelques années plus tard leur désir de maintenir **en l'état** le rôle des collectivités locales dans l'attribution des aides financières aux établissements d'enseignement privé... Dans les deux cas, il s'agit bien de **conserver,** dans les deux cas on ne manquera pas d'identifier la manifestation à une expression de la volonté populaire. Pourtant ce n'est pas le « même peuple » qui s'exprime. Mais le message est cependant le même : protéger **ce qui est.**

Qu'est-ce que **le Peuple ?** Sinon ce désir des sociétés à persévérer dans leur être, désir pour lequel elles sont disposées au combat, par quoi elles s'instituent en Peuple.

A p p r o f o n d i r

De la dictature démocratique populaire
MAO TSÉ TOUNG (1947)

Qu'est-ce qu'une démocratie populaire ? L'expression a de quoi interloquer le candide, ignorant de la réalité politique que vivent ou vécurent les peuples auxquels cette forme apparemment redondante de gouvernement a été imposée. Quant à la formule qui donne au manifeste de Mao Tsé Toung son titre, il plonge le lecteur de Montesquieu ou d'Ariste dans un abîme de perplexité : comment une dictature peut-elle être démocratique ? La signification des mots que la Science politique a l'habitude d'employer semble se dérober : un terme paraît renvoyer à son contraire, comme au plus sombre du délire linguistique orwélien (« La paix c'est la guerre, la guerre c'est la paix », proclame dans ce qu'il appelle la « novlangue » le plus célèbre des slogans du *Big Brother*).

L'ouvrage du « Grand Timonier » Mao Tsé Toung établit, par conséquent, une redéfinition du vocabulaire politique usuel. Les premières pages sont ainsi caractérisées par un souci de précision du sens des mots, comme si la Révolution était d'abord une révolution de lexique. « Qu'entend-on par peuple ? », demande Mao. La réponse est évidemment chargée d'enjeux politiques :

> « En Chine, dans la phase actuelle, le peuple, c'est la classe ouvrière, la paysannerie, la petite bourgeoisie urbaine et la bourgeoisie nationale. »

En sont par conséquent exclus « la classe des propriétaires fonciers » et « la bourgeoisie bureaucratique ». Le Peuple se constitue donc **contre**. C'est bien l'idée d'une mise en ordre de bataille qui structure la nation (voir **Définir**). Le Peuple n'est le peuple qu'en tant qu'il combat un adversaire logé au cœur de la nation. Pour Mao, le concept de « Peuple » permet non pas d'intégrer conflits et résistances politiques mais de discriminer. Et si nous percevons une contradiction dans les termes lorsque nous évoquons l'idée d'une « dictature démocratique populaire », c'est que nous définissons le Peuple comme la totalité de la nation. Point n'est donc nécessaire de préciser que la démocratie est populaire lorsqu'elle n'exclut aucun citoyen de la citoyenneté. Or Mao complète le dispositif d'exclusion par une discrimination civile :

> « Le droit de vote n'appartient qu'au peuple, il n'est point accordé aux réactionnaires. D'un côté, démocratie pour le peuple, de l'autre dictature sur les réactionnaires : ces deux aspects réunis c'est la dictature démocratique populaire. »

La démocratie populaire est un régime de gouvernement qui intègre en même temps qu'il exclut. Si la démocratie est dite populaire, c'est bien qu'il se veut aussi « aristocratique », au sens grec (*aristoï*, les meilleurs). Elle distingue les meilleurs (le Peuple) des pires, c'est-à-dire ceux qui détiennent la terre et le savoir. On comprend dès lors ce que cette forme démocratique a de « révolutionnaire » : elle renverse en effet les valeurs qui sont celles de l'idéal démocratique défini par les Lumières (voir *Droits de l'Homme*).

Actualiser

Le prolétariat moderne,
un peuple de non-travailleurs

« Centralisme démocratique », « dictature du prolétariat », « communisme » même..., la modernité semble dépouiller à plaisir de leurs oripeaux linguistiques les partis qui se réclament en Occident du marxisme, comme si des concepts hérités XIXe siècle se trouvaient aujourd'hui vidés de leur contenu. Que nous reste-t-il par exemple du « prolétariat », ce peuple dans le peuple auquel les textes fondateurs du communisme accordent un rôle salvateur ? Y a-t-il encore des prolétaires pour s'unir « dans tous les pays » ?

Rappelons-le, un prolétaire est à Rome un homme misérable mais juridiquement libre. Or le XIXe siècle, en réutilisant cet ancien terme, va en infléchir la signification pour le tirer vers l'idée d'esclavage. Lamartine résume ainsi le « sentiment linguistique » de son temps lorsqu'il affirme :

> « Le prolétariat moderne est une espèce d'esclavage tempéré par le salaire. »

Si le prolétaire est un esclave, c'est qu'il ne « gagne » pour seul salaire que le strict minimum pour vivre. Dès lors son rapport au travail est semblable à celui de cette « bête de somme » humaine, l'esclave de l'Antiquité, qui n'agit jamais que pour satisfaire ses besoins vitaux. L'un et l'autre sont alors liés à la Nature par une activité laborieuse qui ne leur laisse pas le loisir de découvrir leur humanité. **Le prolétaire est bien le double de l'esclave par sa relation dénaturée au travail.** Celui-ci devrait en effet offrir à chacun le moyen de découvrir la nature de sa liberté. Marx montrait ainsi dès les premiers textes de 1844, le rôle fondamental tenu par le travail dans l'histoire de l'Humanité :

> « Tout ce qu'on appelle l'histoire universelle n'est rien d'autre que l'engendrement de l'homme par le travail humain. »
>
> *Manuscrits de 44.*

La société communiste, telle que l'invente *L'idéologie allemande*, se propose donc de libérer le travail pour libérer le travailleur.

Or, par un retournement tragique du cours de l'histoire, les prolétaires d'aujourd'hui, ce ne sont plus les travailleurs. Qui reçoit juste ce qui est nécessaire à la satisfaction des besoins vitaux les plus élémentaires sinon les « sous-emplois » ? Le RMI ne ressemble-t-il pas à ces quelques centimes quotidiens « gagnés » par les ouvriers des filatures du xixe siècle ? Le prolétaire moderne est toujours un esclave, mais il est l'esclave non d'un « travail » qui l'aliène mais d'une absence de travail tout aussi mutilante.

Définir

L'art de Janus

Divinité à double face, Janus regarde à la fois vers le passé et vers l'avenir. Maurice Duverger en a fait dans *Introduction à la politique* l'allégorie de la politique, caractérisée selon lui par des aspirations également opposées. L'activité politique — celle qui règle la vie de la Cité (*polis,* en grec) — conduit en effet les hommes à s'affronter pour le pouvoir mais à rechercher dans le même temps l'intégration de chacun au sein de la communauté :

> « Toute lutte porte en elle-même un rêve d'intégration et constitue un effort pour l'incarner. »

De fait, l'homme politique défend à la fois des intérêts particuliers mais il s'efforce aussi de résoudre les problèmes qui se posent à l'ensemble de ses concitoyens : c'est un seul visage qui regarde dans deux directions opposées. Le candidat heureux à la magistrature suprême cesse d'être un chef de parti pour devenir le président, le consul, le stratège de tous ses concitoyens.

Composer

La politique est-elle l'affaire de tous ?

▶ **La politique ne saurait être une activité professionnelle...**

Profession politique ? Par définition la question ne mérite pas d'être posée aux élus qui exercent tous un « métier » avant et après leur mandat (même si la vie politique française laisse croire depuis une vingtaine d'années qu'il existe, grâce à l'intervention des partis et à la diversité des modes de scrutin — la « proportionnelle » permet ainsi de « placer » les battus du scrutin majoritaire — des élus professionnels !). Elle renvoie plutôt à la permanence de techniciens de la gestion des affaires publiques à la tête des administrations.

On argumentera, avec justesse, que la complexité de la gestion publique est telle qu'elle réclame la formation de « spécialistes », des savants de l'Administration, des technocrates. De fait, **un Etat moderne semble développer de façon inévitable une véritable technocratie.**

▶ ... mais la complexité des affaires de la Cité...

Mais la formation de ces professionnels de la politique (au sens grec de Cité) n'est pas sans risques. Ne conduit-elle pas à séparer les citoyens (convoqués éventuellement à des élections toujours ponctuelles) de ceux qui sont là pour gérer les affaires de la communauté ? La complexité de la vie en société pousse au discours spécialisé qui devient rapidement inintelligible au plus grand nombre. Quand la politique devient une technique, elle cesse d'être l'affaire de tous. Cette séparation tragique est illustrée par le roman inachevé de F. Kafka, *Le château*. On y voit un village (la société civile) supposé dépendre des décisions des « gens du château » (l'Etat) mais ceux-ci restent invisibles ou simplement représentés par des intermédiaires. Le village et le château sont côte à côte, quasiment imperméables l'un à l'autre.

▶ ... menace de déposséder les citoyens.

Grande est alors la tentation d'opérer, pour le citoyen, un repli sur la sphère purement privée de son existence. C'est la désaffection à l'égard du politique que l'on enregistre, par exemple, aux Etats-Unis lors des consultations électorales. Une majorité de citoyens se sent exclue de la vie politique. Pourtant, le désengagement est aussi un engagement. Se taire, c'est encore parler. Et l'abstention est un acte politique qu'il faudrait prendre en compte plus largement au soir des grands scrutins. Ne pas voter, c'est encore voter contre l'organisation politique tout entière. Ce n'est pas seulement récuser les candidats en lice, c'est surtout récuser un système qui conduit à la formulation d'un tel refus.

Politique

ARISTOTE (ive siècle av

L'Homme est un *zoôn politikon* dit Aristu...
un animal destiné à vivre dans une *polis,* une Cité, un...
C'est bien affirmer que la vie politique est naturelle à l'espèce
humaine ; il est dans la nature de l'homme de vivre dans une
société, seuls les bêtes et les Dieux vivent hors de l'enceinte de la
Cité.

Cette réalité naturelle est alors définie comme « une communauté d'égaux en vue d'une vie qui soit potentiellement la meilleure ». Deux points importants se dégagent de cette définition :

— La finalité de la vie en société reste le bonheur, le bien-vivre.
On parlera ainsi de l'eudémonisme politique d'Aristote.

— Ne sont citoyens que des concitoyens, c'est-à-dire des égaux.

Or la Cité n'apparaît-elle pas aussi comme le lieu de l'inégalité
entre les hommes et partant, pour les plus démunis, le lieu même
du malheur ? Comment donner une signification politique au sort
des esclaves, par exemple ?

Aristote précise alors que par Cité il faut entendre « communauté d'hommes libres ». Les citoyens ne sont égaux que par la
liberté identique dont ils jouissent dans l'espace social. Est-ce à
dire, par conséquent, que les esclaves sont exclus de la vie civique à
la prospérité de laquelle ils participent pourtant par leurs travaux ?
Le philosophe distingue en effet deux ordres d'existence, celui de la
polis, la communauté régie par le principe d'égalité, et celui de l'*oikia,* la maison privée qui obéit au principe monarchique (*monarkia,*
le gouvernement d'un seul). L'esclave n'appartient pas à la première, il est intégré dans la seconde et soumis au maître. Il n'accède
pas à cette seconde vie qu'est la *bios politikos.* Pour Aristote, la vie
politique n'est pas concevable pour celui qui reste attaché aux
nécessités élémentaires de la survie. Elle suppose un détachement,
une disponibilité aux affaires publiques, une liberté qui apparaît
d'abord comme une libération des contingences matérielles qui
lient le vivant à la Nature pour sa simple survie. Ainsi, le gouvernement des hommes qui ne sont pas libres n'entre pas dans la sphère

ence de la politique. L'esclavage reste une affaire privée
toutefois possible au Maître l'accès aux affaires publiques.
bonheur commence donc par une « épuration sémantique »,
olitique ne saurait être l'affaire de tous si elle souhaite faire du
onheur son affaire !

Actualiser

Responsables mais pas coupables ?

Lors du scandale de la diffusion du sang contaminé par le virus
du Sida à la population hémophile, l'ex-ministre de Tutelle du
directeur du CNTS (Centre national de transfusion sanguine), alors
incriminé, eut ce mot désormais célèbre : « Je suis responsable mais
pas coupable », avouant ainsi peut-être l'irresponsabilité de toute
une classe politique peu à peu discréditée.

Pourtant, l'affirmation a quelque chose de courageux : je suis
solidaire, je me porte garant, je réponds *(respondere)* d'une faute
(culpa) que je n'ai pas commise. Il s'agit précisément de l'expression de cette éthique propre au politique et que Max Weber
nomme « éthique de responsabilité », par opposition à l' « éthique
de conviction » qui, selon lui, caractérise le savant et le religieux :

> « Toutefois il y a une opposition abyssale entre l'attitude de celui qui
> agit selon les maximes de l'éthique de conviction — dans un langage reli-
> gieux nous dirions : « Le chrétien fait son devoir et en ce qui concerne le
> résultat de l'action il s'en remet à Dieu » —, et l'attitude de celui qui agit
> selon l'éthique de responsabilité qui dit : « Nous devons répondre des
> conséquences prévisibles de nos actes. »

Le savant et le politique.

Le politique ne peut se contenter des intentions bonnes ou mauvaises ; il est *responsable,* c'est dire qu'il doit rendre des comptes
quant aux résultats de ses actions.

Pourtant, la formule « responsable mais pas coupable » parut
résonner comme une excuse et devint rapidement la devise de la
fuite politicienne devant la justice. Par un étrange phénomène d'altération du sens, on comprit exactement l'inverse de ce que signi-
fiaient ces mots : Je n'ai rien fait, je n'ai rien à voir avec la justice
mais évidemment moralement je me sens impliqué(e)... « Respon-

sable mais pas coupable », est à présent **synonyme d'irresponsabilité politique,** celle qui conduit des députés à voter la loi les amnistiant des délits pour lesquels d'autres citoyens sont poursuivis en leur nom, qui pousse d'anciens ministres à enrayer le processus menant à leur comparution devant une cour, haute ou non, etc.

C'est que l'ordre des mots a son importance... De « Responsable mais pas coupable », on ne retient que le *mais* adversatif qui agit comme une défausse... Il eût été plus habile de dire : « Innocent mais responsable »... La permutation n'est pas indifférente, *l'infamie* serait devenue *courage :* l'erreur commise par l'ancien ministre des Affaires sociales fut donc d'oublier que la politique était d'abord une affaire de mots.

La marche en avant

Le progrès (*pro,* « devant », *gressus,* « pas »), c'est littéralement la marche en avant. On distinguera toutefois le Progrès de la progression, en ce que le second s'entend concrètement quand le premier désigne une avancée d'ordre intellectuel ou bien considérée de façon abstraite.

L'idée de Progrès renvoie toutefois le plus souvent au développement de l'espèce humaine à travers l'Histoire. L'acception moderne est fixée en effet par Condorcet dans un texte de 1793 intitulé *Esquisse d'un tableau historique des progrès de l'esprit humain.* Le philosophe y affirme que l'espèce humaine « marche d'un pas ferme et sûr dans la route de la vérité, de la vertu et du bonheur ».

Le progrès est bien une notion caractéristique de l'Esprit des Lumières qui implique autant l'idée d'une perfectibilité de l'Homme que celle du sens de l'Histoire. Elle témoigne de l'optimisme absolu de ceux que la Raison désormais éclaire...

C o m p o s e r

L'idée de Progrès donne-t-elle un sens à l'Histoire ?

► **L'idée de progrès...**

De l'idée de Progrès on retient avant tout qu'il s'agit de celui de l'espèce humaine. Le XVIIIe siècle, rendu confiant par les découvertes scientifiques et leurs applications techniques imagine que l'Humanité est sortie de son enfance et qu'elle atteint désormais « l'âge de raison » qui est l'âge de **la** Raison. La métaphore est celle du développement d'un individu pour représenter celui de son Espèce. L'Histoire raconte alors cette crise de croissance à l'échelle de l'Humanité. Dès lors on peut penser que **cette idée de Progrès donne à l'Histoire un sens,** c'est-à-dire une signification et une orientation. Parce qu'elle est une idée directrice, une idée de la Raison, elle permet de penser l'Histoire et partant donne aux hommes les moyens de prétendre dominer leur nature :

> « Vouloir que l'histoire ait un sens, c'est inviter l'homme à maîtriser sa nature et à rendre conforme à la raison l'ordre de la vie en commun. »
>
> R. Aron, *Les dimensions de la conscience historique.*

▶ ... manifeste la bonne volonté des hommes...

Mais l'Homme peut-il vraiment maîtriser sa nature ? De fait si l'idée de Progrès témoigne d'une intention des hommes à prendre en main leur destinée commune, il faut se rendre à l'évidence que cette bonne intention ne cesse d'être contrariée par une nature passionnée, égoïste qui ne sait exploiter le travail de la raison qu'à des fins bien particulières. J.-J. Rousseau incrimine plus précisément la nature dévoyée de l'homme. La bonne volonté n'est plus naturelle dès lors que les hommes ont rompu avec la Nature pour vivre en société, là où l'amour du paraître éteint les aspirations authentiques de l'Etre. **Le Progrès est donc illusoire** et se satisfaire de la seule idée qu'on peut en avoir semble un aveu d'impuissance.

▶ ... mais aussi leur impuissance à maîtriser leur Histoire.

Ce triste constat ne tient pourtant qu'à la condition que l'on admette que le Progrès est volontaire. Sur ce point, Kant rompt avec Rousseau et les penseurs des Lumières. Selon lui, le Progrès est naturel, c'est la nature qui agit les hommes et se sert de leurs passions pour mobiliser leur Raison :

> « Le problème essentiel pour l'espèce humaine, celui que la nature **contraint** l'homme à résoudre, c'est la réalisation d'une société civile administrant le Droit de façon universelle. »

Or de la Nature nous n'avons qu'une idée, au sens de Kant, voilà pourquoi c'est également de l'idée de Progrès que nous avons à parler. De fait, **si l'idée de Progrès donne un sens à l'Histoire c'est**

parce qu'elle est subordonnée à l'idée de Nature. Il faut penser que la Nature pousse l'Humanité à son insu, qu'elle la fait progresser et que cette progression, nous l'appelons Histoire.

A p p r o f o n d i r

Système de politique positive

AUGUSTE COMTE (1854)

Grâce à la Science, pense A. Comte, une société unique pourra voir le jour, une République dont la devise sera :

> « L'amour pour principe ; l'ordre pour base et le progrès pour but. »

Cette certitude procède de ce que l'inventeur du positivisme nomme la « théorie des trois âges ». Comte façonne en effet un système qui distingue trois états successifs de l'Humanité. Dans l'**état théologique,** la vie politique est dominée par le surnaturel. Le principe du « droit divin » s'impose et Comte l'appelle « la doctrine des rois ». Cet état finit par céder la place à un **âge métaphysique :** les principes surnaturels sont remplacés par des entités comme le Droit, l'Egalité, la Liberté. Mais ces entités, ces abstractions que les Lumières ont sacralisées ne permettent pas de construire une société bien ordonnée :

> « Il n'y a point de liberté de conscience en astronomie, en physique, en chimie, en physiologie même (...). S'il en est autrement en politique, c'est uniquement parce que les anciens principes étant tombés, les nouveaux n'étant pas encore formés, il n'y a point à proprement parler, dans cet intervalle, de principes établis. »

L'état métaphysique apparaît bien comme un état transitoire, il comble un vide, d'où son instabilité. Pour Comte, les révolutions ont détruit un ordre ancien, fondé sur la reconnaissance du surnaturel, elles n'ont pas su en édifier un nouveau. C'est bien ce dernier que le philosophe appelle de ses vœux et nomme l'**état scientifique.**

La politique sera alors réglée par la science, ordonnée par la Raison et partant destinée à atteindre l'universel. Lorsque cet état sera réalisé en France, puis en Europe, il ne fait pas de doute qu'il se propagera dans le monde entier :

« Les lois fondamentales de l'évolution humaine, qui posent la base philosophique du régime final, conviennent nécessairement à tous les climats et à toutes les races, sauf de simples inégalités de vitesse. »

Le progrès est donc double. Il se manifeste en effet dans le passage de l'état métaphysique à l'état scientifique et dans la diffusion de ce dernier à l'échelle de toute la planète. Ainsi l'ordre scientifique résulte d'un progrès et déclanche une autre « marche en avant », celle qui mène à cette harmonie totale qui n'est pas sans rappeler celle du Kosmos ordonné par le Logos stoïcien.

A c t u a l i s e r

Voltaire contre Rousseau

Parmi les nombreuses controverses qui opposèrent au xviiie siècle Voltaire contre Rousseau, celle qui fit du premier le défenseur du luxe comme facteur déterminant de progrès et du second son détracteur mérite d'être particulièrement examinée au prisme de notre modernité. On se souvient de l'argumentation de Voltaire : le luxe est toujours l'avant-garde du progrès matériel. Tel objet, coûteux aujourd'hui, demain sera à la portée de tous. Encourager le luxe, c'est bien militer en faveur du progrès social. Et Voltaire de railler dans son *Dictionnaire portatif* :

« Lorsqu'on inventa les ciseaux, qui ne sont certainement pas de l'Antiquité la plus haute, que ne dit-on pas contre les premiers qui se rognèrent les ongles et qui coupèrent une partie des cheveux qui leur tombaient sur le nez ? »

Les chiffres que publie l'INSEE en 1993 sur l'évolution de l'équipement des ménages semblent avoir donné raison à Voltaire contre Rousseau. Ce qui était en 1965 un luxe est devenu en 1991 l'ordinaire. Si, il y a vingt-cinq ans, 8 % seulement des ménages étaient équipés d'un téléphone, ils sont à présent 94 %. Les 46 % qui possédaient un poste de télévision sont aujourd'hui 95 %. L'automobile en 1965 ne semblait pas accessible à la moitié des Français (47 % des couples en étaient détenteurs), les deux tiers (77 %) des familles en sont pourvus en 1991... Dans le même temps l'équipement sanitaire des logements a progressé de façon extrêmement spectaculaire : les w.-c. intérieurs équipent non plus 40 % des habitations mais 94 % ; les baignoires et les douches sont aussi désormais la règle (93 % contre 28 % vingt-cinq ans plus tôt)... Bref, aimons le luxe, il promet la mollesse... Soyons également confiants : « On n'arrête pas le Progrès... » Ces chiffres de l'INSEE viennent le confirmer. La position d'un Rousseau est non seulement « d'arrière-garde », elle reste surtout de principe car le Progrès est une nécessité, au sens où il paraît impossible d'envisager qu'il n'apporte plus son lot de confort et de « mieux-être » matériels. Toutefois le Progrès n'est jamais qu'une « idée », une simple représentation optimiste héritée du XVIIIe siècle. Qui nous assure que la Science et la Technique sauront toujours donner une réponse aux questions que nous posent la difficulté de vivre ensemble et la souffrance constitutive de la nature humaine ? Les chiffres de l'INSEE et les découvertes de la médecine sont évidemment rassurants, suffisent-ils pourtant à faire d'un mythe une réalité ?

Définir

Avoir ou n'être plus ?

Si la propriété est bien, comme l'indique Emile Littré dans son dictionnaire, « le droit par lequel une chose appartient en propre à quelqu'un », c'est d'abord du côté des textes juridiques qu'il convient de rechercher une définition rigoureuse.

Le *Code civil,* en 1804, précise ainsi :

> « La propriété est le droit de jouir et disposer des choses de la manière la plus absolue, pourvu qu'on n'en fasse pas un usage prohibé par les lois ou par les règlements » (art. 544).

La propriété participe donc de notre mode d'organisation du rapport aux choses. Mais quelles sont ces choses ? Pour quels propriétaires ?

On distingue, par exemple, des propriétés « propres », liées aux personnes, les *res communes,* propriétés collectives appartenant au seul Etat, et les *res nullius,* les « choses » qui n'appartiennent à personne. Concrètement une pareille distinction ne laisse pas de susciter des difficultés : en quoi le sol (propriété propre ou commune) diffère-t-il fondamentalement par nature de l'air *(res nullius)* ? Pourquoi un particulier peut-il être propriétaire de la terre qu'il cultive quand il est clair qu'il ne saurait l'être de l'air qu'il respire ?

Le droit tranche, il est même devenu depuis le XVIIe siècle l'instrument grâce auquel la société politique assure la conservation d'une propriété reconnue désormais comme naturelle. L'avoir est-il donc essentiel ?

Composer

La propriété, est-ce le vol ?

▶ **Si la propriété est un vol...**

« Je n'appartiens à personne et j'appartiens à tout le monde.
Vous y étiez avant que d'y entrer et vous y serez encore quand vous
en sortirez. » Telle est l'énigmatique inscription que découvrent
Jacques et son Maître au frontispice d'un château où un orage les
contraint de se réfugier. La devise fait évidemment du lieu une allégorie que le lecteur de Diderot est invité à déchiffrer. Au-delà du
jeu qui lie l'auteur à son public, il est intéressant de noter que Diderot, dans cet extrait de *Jacques le Fataliste,* participe de ce vaste
mouvement de pensée qui remet en question la propriété. Car ce
château est évidemment une allégorie de la Nature (la seconde partie de l'inscription le fait savoir). Et la visite à laquelle nous
sommes conviés à la suite des personnages ne laisse pas, sur ce
point, d'être édifiante :

> « Ce qui choqua le plus Jacques et son maître, ce fut d'y trouver une
> vingtaine d'audacieux, qui s'étaient emparés des plus superbes apparte-
> ments, où ils se trouvaient presque toujours à l'étroit ; qui prétendaient
> contre le droit commun et le vrai sens de l'inscription, que le château leur
> avait été légué **en toute propriété...** »

La Nature n'appartient à personne, la propriété n'est donc
jamais qu'un abus de pouvoir... **Elle n'est pas naturelle,** voilà la
leçon qu'il convient de tirer de la lecture de l'inscription du
château.

▶ **... c'est un « vol légal », le vol pour lequel sont faites les lois.**

De fait, Rousseau propose de dépasser l'allégorie et montre dans
le Discours sur l'origine de l'inégalité parmi les hommes que la création de la société civile ne fut pas autre chose qu'un pur acte d'appropriation :

> « Le premier qui ayant enclos un terrain s'avisa de dire : ceci est à moi
> et trouva des gens assez simples pour le croire fut le vrai fondateur de la
> société civile. »

La société civile est donc une association de propriétaires qui
établit entre les hommes une inégalité qui ne saurait être naturelle.

La propriété est un artifice. Elle est l'artifice par excellence. De ce point de vue, la propriété est bien un vol, je m'approprie ce qui n'est à personne parce qu'il est à tous. Mais c'est un « vol légal », c'est même le vol de la légalité. Le droit positif apparaît alors au service de cette entreprise que le droit naturel (avec l'article 2 de la Déclaration qui fait de la propriété un droit inaliénable et sacré) viendra par la suite conforter. Avec l'établissement de la propriété privée l'humanité a commis, selon Rousseau, son « péché originel ». S'en suivra en effet une succession de dégradations et de dépravations. Les hommes se perdent, ils ne se retrouveront qu'en renonçant à leurs appétits égoïstes. En 1516, Thomas More en est déjà persuadé :

> « ... l'unique moyen de distribuer les biens avec égalité, avec justice et de constituer le bonheur du genre humain, c'est l'abolition de la propriété. »

Soit, mais ce discours n'est tenu que depuis les rivages d'une île perdue au large de son imaginaire et qu'il nomme *Utopia*.

Approfondir

Qu'est-ce que la propriété ?

JOSEPH PROUDHON (1840)

Un ouvrage et une formule — « La propriété, c'est le vol ! » —, rendirent Joseph Proudhon célèbre mais pour de mauvaises raisons qui sont celles d'un véritable contresens sur le texte lui-même. Cette volonté toutefois de faire de la question de la propriété le centre de sa réflexion et les embarras qui suivirent restent significatifs d'une prise de conscience des difficultés que ne pouvait manquer de susciter l'article 2 de la Déclaration des Droits de l'Homme et du Citoyen (cf. *supra*). Dans *La justice dans la Révolution et dans l'Eglise,* Proudhon s'empresse de corriger les interprétations fautives de sa pensée et se défend des accusations portées contre lui : « J'ai écrit quelque part "La propriété c'est le vol...". Ce que je cherchais, en 1840, en définissant la propriété, ce que je veux aujourd'hui, ce n'est pas une destruction, je l'ai dit à satiété, c'eût été tomber avec Rousseau, Platon, Louis Blanc lui-même et tous les adversaires de la propriété, dans le communisme contre lequel je proteste de toutes mes forces. »

Ce n'est donc pas, selon Proudhon, la propriété individuelle en privé qui semble un vol. On aurait tout à fait pu comprendre que celle-ci fût considérée comme un détournement injustifiable de ce qui ne saurait appartenir qu'à la communauté. L'individu lorsqu'il devient propriétaire d'une chose retire celle-ci à la collectivité. C'est, en quelque sorte, le groupe qui se trouve lésé, volé. Il ne pourrait ainsi y avoir de propriété légitime que collective. Or, ce n'est pas ce que laisse penser l'ensemble de l'œuvre de Proudhon. Dans *Qu'est-ce que la propriété ?*, ce n'est pas la propriété privée en tant que telle que l'auteur dénonce mais plutôt ce qu'il nomme le « droit d'aubaine ». Il s'agit du revenu que tire le propriétaire de sa propriété lorsqu'il renonce à en être le possesseur. Il faut rappeler que les mots propriétaire et possesseur ne sont pas des synonymes, même si certains abus de langue semblent le laisser croire. L'étymologie latine (*proprius :* sien et *sedere :* accepter) permet de rappeler que le possesseur ne fait que considérer comme sienne la chose dont il n'est pas nécessairement le propriétaire. Le possesseur exerce effectivement un droit dont il n'est pas toujours titulaire. Ce que Proudhon condamne, c'est le prix (fermage, loyer, commission, etc.) que fait payer le propriétaire au possesseur pour l'exercice de ce droit sur la chose qui lui appartient. Car le philosophe ne considère pas que la terre ou les capitaux soient productifs en eux-mêmes, c'est le travail effectif du possesseur qui l'est. Ainsi les propriétaires sont des voleurs lorsqu'ils réclament leurs fermages, ils prélèvent sur les produits d'un travail qu'ils n'ont pas réalisé. La propriété n'est donc un vol que si elle permet de percevoir un revenu sans travailler. La condamnation de Proudhon repose sur une valorisation de l'effort et prétend conduire à la fusion des notions de propriété et de possession.

Actualiser

De qui sommes-nous vraiment les propriétaires ?

Nous sommes attachés aux choses, pas simplement par le droit, mais aussi par la langue (le français fait toujours du possesseur le sujet) et le recours systématique au possessif (l'adjectif possessif ne décline-t-il pas quelquefois ce désir pathétique d'appropriation : **mon** boucher, **mon** pédiatre, etc., alors qu'on pourrait plus logiquement penser le contraire). Cet attachement est naturel, et sacré, inscrit dans la nature humaine. Bref, **être, c'est être propriétaire...** Mais de quoi? Quels sont les biens qui nous appartiennent en propre?

Il y a des confusions que la vie moderne nous habitue pourtant à ne pas commettre : je sais que mon chéquier, ma carte bleue (par lesquels j'acquiers) ne sont pas à moi mais que ma Banque les « met à ma disposition ». Simples « moyens de paiement », ils peuvent m'être retirés... Autant ne pas trop s'y attacher... Quant au passeport, symbole de **ma** nationalité, il est préférable de ne pas en faire la métonymie de ma citoyenneté. A l'article Ier des « Recommandations importantes » qui sont imprimées en dernière page, je peux lire en effet :

> « Le passeport demeure la propriété de l'Etat français. »

Pas de chéquier, pas de papiers dont je puisse me satisfaire d'être le propriétaire... La blessure narcissique est profonde, elle touche au portefeuille et au sentiment national... Ne puis-je me replier sur la sphère privée et familiale où la libre jouissance de **mes** revenus et de **mon** patrimoine semble bien n'être laissée... Hélas ! Mes revenus ne me reviennent pas entièrement... Je ne peux m'approprier mon salaire, dont un pourcentage parfois non négligeable échoit à l'Etat... Cela s'appelle l'Impôt sur le Revenu et je ne puis m'y soustraire... Quant à cette antique demeure que me lèguent mes Pères, je n'en suis pas davantage pleinement propriétaire. L'Etat en hérite avec moi et réclame sa part, ce sont les « droits de succession »... Bref, sur le thème de la « propriété, c'est le vol », on comprend qu'on peut aussi jouer l' « arroseur arrosé », le « voleur volé »... Rien de ce qui m'appartient n'échappe pour partie à la collectivité... **La propriété n'est jamais absolument privée.**

Racisme

Un instrument politique

La biologie définit à partir de la fréquence statistique de certains facteurs génétiques chez l'Homme cinq groupes distincts, appelés races : l'européenne ou caucasienne, la race négroïde, l'asiatique, l'amérindienne et l'australoïde. Mais à aucun titre la Science ne prétend fonder la supériorité de l'un des groupes sur tous les autres.

Les théories racistes visent au contraire à établir la suprématie incontestable d'une race sur les autres, jugées alors inférieures.

C'est au XIXe siècle et par le détour de la linguistique que les premières théories de ce type ont été formulées. En 1788, le philologue Jones avait remarqué des similitudes dans la morphologie et la syntaxe du sanscrit avec de nombreuses langues d'Europe... De là à déduire l'existence d'un peuple unique, s'exprimant dans cet indo-européen nouvellement reconstitué... La race aryenne, née de l'imagination de quelques linguistes et historiens, devient alors l'alibi nécessaire à certains pour justifier la supériorité d'un groupe sur le reste de l'humanité. Pour Arthur et Gobineau, ce sont les aristocrates français qui héritent des caractères des aryens (*Essai sur l'inégalité des races humaines,* 1855), pour Houston Stewart Chamberlain le peuple allemand fut le seul à recueillir l'héritage et à mériter de dominer le monde (*Fondements du XXe siècle,* 1899), etc. Quels qu'aient été ses avatars, le racisme apparaît bien comme une idéologie, un instrument au service du politique (colonialisme, pangermanisme...).

Composer

« Si je diffère de toi, loin de te léser je t'augmente. »
ANTOINE DE SAINT-EXUPÉRY

▶ **La différence est parfois blessante...**
Une blessure narcissique.

Comment la différence peut-elle ne pas être d'abord ressentie comme une blessure, une lésion (*lardere* : blesser)?

Si tu diffères de moi, c'est donc que je ne suis pas un modèle, je ne suis pas la norme obligée à partir de quoi les autres seraient invités à se mesurer! La différence n'est-elle pas alors comme un désaveu?

Plus redoutable encore, nos différences nous découvrent l'Altérité. Si tu diffères de moi, c'est que tu n'es pas moi. L'Autre surgit inconnu et partant menaçant.

Une menace.

La menace est double. A la peur de l'inconnu il faut ajouter celle de la rivalité et du conflit. Si les autres m'apparaissent, apparaît aussi le risque qu'ils tentent de me déposséder. Or la menace du conflit porte dans son principe les éléments nécessaires à son dépassement. Car si les autres convoitent ce qui m'appartient, ne me ressemblent-ils pas au moins par leurs désirs? La peur du combat découvre que la lutte n'est possible que si la différence s'estompe. Hobbes ne néglige pas de rappeler que la guerre de tous contre tous est provoquée par l'égalité des adversaires devant leurs désirs!

▶ **... mais permet d'affirmer mon identité.**
Le travail du négatif.

L'Autre ne menace d'entrer en conflit avec moi que s'il me ressemble. Mais moi, ne suis-je pas tenté de le combattre parce qu'il est différent?

« *Omnis determinatio*, écrit Spinoza, *est negation.* » Toute détermination est négation. C'est dire que j'ai besoin d'affronter ce qui n'est pas moi pour me connaître. La résistance que je rencontre fixe mes limites, l'étrangeté que j'observe définit ma singularité. Je dois laisser agir sur moi-même l'observation des différences de l'autre pour savoir qui je suis. L'Autre me découvre mon identité.

Mon auteur ?

L'Autre est donc mon auteur, celui qui est à l'origine de mon développement. C'est en ce sens qu'il faut aussi entendre le verbe « augmenter » qu'emploie Saint-Exupéry. *Augeo,* augmenter, c'est se développer, croître. Celui qui me permet cette croissance devient alors mon *auctor,* mon auteur.

La confrontation permet bien le développement, mais encore faut-il qu'elle ait lieu. « Si je diffère de toi... », Saint-Exupéry émet une hypothèse... Au fond la différence n'est qu'une hypothèse que pourrait bien démentir l'humanisme. Derrière l'apparence de la diversité humaine ne découvre-t-on pas ce fonds commun que constituent les passions humaines. Cet « hypocrite lecteur » est bien « mon semblable » et « mon frère », comme le suggère Baudelaire. « Insensé qui croit que je ne suis pas toi », s'écrit Hugo : nos peines et nos joies n'effacent-elles pas toutes les différences qui les ont occasionnées ? De fait, le romantisme humaniste découvre que le particulier recèle le général : en chacun, c'est bien l'Humanité de l'homme qui repose. La différence n'est alors formatrice qu'en tant qu'elle conduit à la prise de conscience de la similitude.

Approfondir

Race et Histoire
CLAUDE LÉVI-STRAUSS (1952)

L'originalité de l'approche que propose Claude Lévi-Strauss tient pour l'essentiel au lien qu'elle établit d'emblée entre discrimination raciale et affirmation de l'inégalité culturelle. Le racisme en effet prétend argumenter sur le terrain de la culture, c'est donc sur ce terrain-là qu'il convient de lui répondre. On ne pourra se défaire totalement du préjugé raciste si on ne revient pas sur la notion du supériorité culturelle que notre ethnocentrisme ne cesse d'alimenter.

L'ethnocentrisme, qui, paradoxalement, caractérise surtout les peuples primitifs (« On va souvent jusqu'à priver l'étranger de ce dernier degré de réalité en en faisant un « fantôme » ou une « apparition »), feint toujours de considérer qu'il n'y a qu'un seul type de développement humain. Il calque l'évolution culturelle sur le schéma biologique. Lévi-Strauss dénonce alors ce qu'il appelle un « faux évolutionnisme ».

L'évolution culturelle en effet n'obéit pas à la linéarité à laquelle nous habitue notre représentation de l'Histoire :

> « Le développement des connaissances préhistoriques et archéologiques tend à *étaler dans l'espace* des formes de civilisation que nous étions portés à imaginer comme *échelonnées dans le temps.* »

Lévi-Strauss distingue alors deux types de cultures, celles dites cumulatives dont le développement, analogue à celui de la nôtre, nous est intelligible. Les autres cultures, dont le développement ne saurait être évalué à l'aide de nos références, le philosophe les qualifie de « stationnaire ». La culture cumulative des Occidentaux se caractérise par le désir « d'accroître continuellement la quantité d'énergie disponible par tête d'habitant » et de prolonger dans le même temps la vie humaine. Pour ce faire, elle s'est ouverte plus largement aux autres cultures, recherchant systématiquement la coopération et la coalition. Ce qui fit la force — et de ce point de vue la supériorité de la culture occidentale —, ce fut cette capacité d'ouverture.

> « L'exclusive fatalité, l'unique tare qui puissent affliger un groupe humain et l'empêcher de réaliser pleinement sa nature, c'est d'être seul. »

Contrairement à ce que proclamait au xixe siècle Gobineau, c'est le métissage qui permit aux Occidentaux d'imposer aux autres leur modèle de développement. Toute culture, tout peuple, toute race repliés sur eux-mêmes sont condamnés à stagner, voire disparaître pour Lévi-Strauss.

Actualiser

Le sexisme

Exception faite de quelques écarts de langage relevés ici ou là par la presse dans le discours politique, l'expression du racisme est en France — sinon absente — du moins délictueuse. « L'incitation à la haine raciale », dûment sanctionnée, passe en effet pour rarissime. Le dispositif pénal veille à ce que le refoulé le demeure. Qui prétendrait ainsi que certaines « races » portent les stigmates d'une infériorité intellectuelle ou morale? La discrimination biologique ne saurait évidemment avoir « droit de Cité » quand la Cité vit sous l'empire des principes démocratiques. Mais si le racisme heurte à présent notre bienséance (au sens que l'on donne au mot au XVIIᵉ siècle, c'est-à-dire la conformité aux mœurs du temps), il est un discours tout aussi discriminant et infondé, celui du sexisme, véritable retour des préjugés inégalitaires, qui pourtant ne cesse guère de se laisser entendre.

Si par racisme on entend la dévalorisation d'un individu « fondée » sur l'appartenance à un groupe biologiquement ou génétiquement déterminé, il est clair que le sexisme qui disqualifie systématiquement la femme dans le monde du travail comme dans la vie publique participe de ce racisme intolérable. A travail égal, salaire inégal (une femme-cadre se voit ainsi proposer un salaire de 40 % inférieur en moyenne à celui que perçoit son collègue masculin)... Il est étrange que l'absence des femmes sur les bancs de l'Assemblée nationale ne soit perçue comme scandaleuse qu'une fois par an, précisément, à l'occasion de « La journée des femmes » (dont l'existence même a quelque chose d'inquiétant...). Il est étrange enfin que l'on fasse du cinquantième anniversaire de l'obtention du vote par les femmes en France une journée de réjouissance, alors qu'il vaudrait mieux oublier à quel point nous fûmes rétrogrades en ne l'accordant pas auparavant. Bref, il est étrange de noter qu'il est une forme de racisme que l'on hésite à désigner comme tel : le sexisme.

Définir

La chose publique

Quelle est cette « chose » que l'on dit « publique »? Pour les romains la *Res publica* n'est autre que l'Etat. L'expression se spécialise en français pour désigner un gouvernement particulier pour lequel la souveraineté ne peut être détenue que par le peuple ou une partie du peuple. Montesquieu rappelle ainsi que le régime républicain prend la forme d'une démocratie ou d'une aristocratie, le pouvoir appartient au peuple *(demos)* ou à quelques-uns reconnus pour être les meilleurs *(aristoï)* :

> « Le gouvernement républicain est celui où le peuple en corps, ou seulement une partie du peuple, a la souveraine puissance. »

L'esprit des lois.

Dans la typologie qu'il propose, Montesquieu oppose donc monarchie, despotisme et république comme s'oppose le gouvernement d'un seul et celui de plusieurs ou de tous. On notera, avec intérêt, que le triptyque tel qu'il est présenté suggère de distinguer la République de la démocratie, rappelant que cette dernière n'est que l'une des deux manifestations de la première. La République n'est pas nécessairement démocratique, même si elle se définit contre l'autocratie.

Composer

Une forme sans contenu ?

▶ **Si la République paraît n'être qu'une forme sans contenu...**

Que relever de commun entre la République que rêvent Socrate et ses interlocuteurs, celle à laquelle Bodin consacre six livres. De fait, le mot semble valoir pour désigner des régimes aussi différents que l'aristocratie (Platon), la monarchie (Bodin) ou la démocratie (République française). Certaines curiosités administratives ajoutent d'ailleurs à la confusion : ne trouve-t-on pas en tête des actes officiels datés de 1804 la formule étrange « République française, Napoléon empereur »... Une telle diversité laisse ainsi l'historien Pierre Nora perplexe et le pousse à s'interroger sur le contenu de l'institution républicaine :

> « C'est une culture politique pleine mais une forme politique vide. »
>
> *Dictionnaire critique de la révolution française.*

Dans la plupart des cas, cependant, la République n'est pas dissociable de l'avènement de la souveraineté nationale contre la souveraineté monarchique. C'est aussi clair au XVIIIe siècle qu'à l'instant fondateur de la République romaine : il y a République sitôt que sont chassés les Rois. La fuite de Tarquin le superbe comme la chute de Louis XVI sont les actes de naissance d'un nouvel ordre politique, celui du peuple. Cicéron rappelle ainsi : « La chose publique donc, dit Scipion, est la chose du peuple. » Mais le peuple, ce n'est pas le troupeau, les hommes y sont « associés les uns aux autres par leur adhésion à une même loi et par une certaine communauté d'intérêts » *(La République)*.

▶ **... elle ne manque pas de principe.**

La définition de Cicéron doit évidemment être complétée. Car la République ne peut se dire par la seule communauté d'intérêts (qu'il conviendrait par ailleurs de définir plus précisément). Le monde antique identifie en effet la République à un sentiment, ce que Montesquieu appelle dans *L'esprit des lois* une passion : la vertu. De fait, c'est elle qui fait de la construction platonicienne un modèle original (les gardiens vivent d'ailleurs en parfaite commu-

nauté pour préserver cette vertu), c'est elle encore que la jeune
République romaine met en valeur pour désigner la corruption de
la monarchie déchue, c'est par elle enfin que s'opère la référence à
laquelle la Révolution s'attache :

> « Quel est le principe fondamental du gouvernement démocratique et
> populaire, c'est-à-dire le ressort essentiel qui le soutient et le fait se mou-
> voir ? C'est la vertu. Je parle de la vertu publique qui opéra tant de pro-
> diges dans la Grèce et dans Rome, et qui doit en produire de bien plus
> étonnants dans la France républicaine. »

> Robespierre, discours du 5 février 1794.

L'idéal républicain apparaît bien comme un élément constitutif
et déterminant dans la promotion du modèle antique au
XVIIIᵉ siècle. Mais comment définir cette vertu qu'évoquent Robespierre et Montesquieu à propos de la République ? N'est-elle pas la
reconnaissance du caractère public de cette « chose » qu'il faut
clairement identifier à la société. Ainsi la République se définit par
la conscience qu'on en a. La forme fait contenu, tel est le principe.
La République se donne alors comme l'impératif catégorique de la
vie politique.

Approfondir

La République
PLATON (IVᵉ siècle av. J.-C.)

Chaque dialogue platonicien est une véritable « pièce de
théâtre » pour laquelle le décor n'est jamais indifférent. L'action se
déroule ici au Pirée, c'est-à-dire hors de l'enceinte de la cité réelle,
dans ce lieu intermédiaire où l'esprit peut aisément « prendre le
large », un port. Là, mieux qu'ailleurs, Socrate se laisse aller à imaginer l'organisation d'un Etat idéal, **la** République, véritable utopie
qui surgit de cette longue discussion nocturne (Socrate et ses hôtes
en oublient de dîner). Détaché de tout repère spatial (la mer) et
temporel (la nuit), le philosophe construit contre la réalité politique
corrompue une *Polis* réglée par la vertu.

Socrate rappelle que la Cité tire son origine de la nécessité de
répondre aux besoins des hommes. Dans un état sain, chacun travaille à la satisfaction des autres. La décadence s'installe sitôt que

se développe le besoin des choses qui ne sont pas nécessaires. Il faut alors en appeler à des « régulateurs », ces gardiens de la vertu qui font de l'irascibilité le moyen d'imposer leur passion de la justice. La Cité idéale doit se garder de la prolifération des appétits particuliers et d'un attachement sans mesure au sensible. La caste des guerriers paraît ainsi indispensable à la République. Elle fera l'objet d'un soin tout particulier : il faut éviter de donner à ces gardiens de la vertu civique l'occasion de l'injustice. C'est pourquoi le mode de vie qui leur est réservé tient du communisme. Tout doit être commun, pas de secrets, pas de biens personnels, chacun se trouve sous le regard de tous les autres. Cette « transparence » est le meilleur gage de vertu. Impossible d'y manquer sans que toute la communauté n'en soit avertie. Platon n'hésite pas, en effet, à faire de l'injustice une tendance naturelle (c'est l'intérêt particulier auquel chacun est lié) que favorise la vie privée. Pour être injustes, vivons cachés. La République, parce qu'elle est la cité vertueuse, ne saurait être autre chose qu'une construction de verre.

La classe des gardiens se porte garant de la juste conduite des affaires privées et publiques. Elle n'assume pas le gouvernement de la Cité. Seul le philosophe, parce qu'il a connaissance du Bien, semble apte à prendre la direction de la Chose Publique. Mais son amour de la sagesse suffit-il ? Platon ne dissimule pas la difficulté, celle, au fond, qui renvoie sans appel la République à l'Utopie. Le philosophe est animé d'un amour de type « érotique » à l'égard de la Sagesse et de la vertu. Cet *éros* philosophique (désir d'union avec ce qui manque) est incompatible avec l'amour calculateur dont le politique doit faire preuve (il faut être prêt à assumer le discours du « noble mensonge », voir *Raison d'Etat*). De façon très symbolique, il est ainsi rappelé dans le *Timée* que les meilleurs gouvernants sont ceux qui ressemblent à la déesse vierge Athéna, celle qui n'est pas née des entrailles d'une femme. Athéna n'appartient pas au monde de l'Eros, sa naissance même l'en exclut. Elle est l'incarnation de la Raison mise au service de la Guerre, elle ignore la dimension amoureuse de la relation qui unit le philosophe à la vérité. Bref, comme le souligne Léo Strauss dans la lecture qu'il propose du texte de Platon *(L'homme et la Cité),* la difficulté n'est pas de convaincre les peuples d'installer à leur tête des philosophes (la rhétorique pourrait s'en charger — après tout le philosophe connaît bien les techniques de la sophistique). Elle tient plutôt à la puissance de conviction qu'il faudrait développer pour persuader le philosophe de prendre le trône du roi. Comment concilier en effet la nécessité de maintenir les citoyens dans l'illusion que leur Cité est tout, un absolu, alors qu'elle ne peut être qu'une partie infime d'une totalité dont le philosophe sait appréhender la cohérence.

La République est un lieu de vertu impossible parce qu'il paraît impossible aux hommes vertueux d'en prendre la direction. Avec *La République* de Platon, et contrairement à une idée reçue, la philosophie se sépare de la politique.

Actualiser

Marianne, les visages de la République

L'Allégorie est une figure de rhétorique bien connue qui donne d'une abstraction une représentation « concrète », une image aux vertus didactiques. La Justice devient une femme assise aux yeux bandés qui tient une balance, la Paix une colombe qui emporte dans son vol un rameau d'olivier, etc. La République n'échappe pas à cette volonté d'illustrer ce qui réclame avant tout d'être conçu. De fait, on lui donna vite un corps, même un prénom, Marianne et son buste trône aujourd'hui dans toutes les municipalités comme la statue d'Athéna, au Ve siècle, semblait protéger tous les actes civiques auxquels les Athéniens étaient conviés.

La République nous apparaît donc sous les traits d'une femme, comme la Nature, la Patrie, voire la Liberté qui guide chaque jour le peuple quand il utilise le billet de 100 F sur lequel on a partiellement reproduit le tableau d'Eugène Delacroix. En cela, rien de très original, si ce n'est que la figure féminine tranche sur les autres, en ce qu'elle efface les signes extérieurs de la maternité auxquels nous étions habitués. En effet, la Nature et la Patrie, tout comme la liberté mamelue du peintre romantique, sont des mères avant même d'être des femmes... Mère nature, Gaïa prolifique des anciens Grecs ou bien tendre « maman » rousseauiste, mère patrie, elles sont toutes des nourricières. Nous en sommes les enfants plus ou moins reconnaissants, fils indignes qui leur devons le jour... L'allégorie est là pour le rappeler et nous rappeler à nos devoirs écologiques ou civiques.

Les bustes de Marianne ne leur ressemblent pas et cela d'autant moins qu'un certain nombre de « versions » sont aujourd'hui proposées à des élus locaux soucieux d'actualiser le visage de cette République que leurs concitoyens peinent parfois à reconnaître. On sait bien sûr que Brigitte Bardot, Catherine Deneuve, Béatrice Dalle ou Inès de la Fressange ont prêté leurs traits à Marianne, soudainement promue, par le miracle du moulage, à la distinction de symbole sexuel. L'allégorie glisse alors hors du champ maternel pour la *terra incognita* d'un **éros civique** pour le moins surprenant. Le choix de ces incarnations du désir masculin ne laisse évidemment pas d'étonner. S'il ne peut manquer de signifier le besoin de rendre à tout prix désirable une idée dont nos contemporains se détournent peut-être, il témoigne à la fois d'une évolution et d'une permanence. Une évolution : celle d'une société qui ne saurait se dispenser de la prime de séduction et qui a désormais choisi l'hédonisme comme seul principe de réalité. Une permanence : la vie publique persiste à s'animer sous le seul regard masculin. La politique reste en effet, dans le domaine de l'imaginaire, une « affaire d'hommes ».

D é f i n i r

« Et pourtant, elle tourne ! »

La Révolution par excellence demeure pour nous celle de la Terre.

D'une part, la notion même est à son origine astronomique. Elle renvoie à cette trajectoire particulière d'un astre qui revient à son point de départ, après avoir effectué dans l'espace un mouvement circulaire complet.

D'autre part, la Révolution de la Terre autour du Soleil a fait l'objet d'un affrontement retentissant entre scientifiques et religieux (lesquels défendaient la théorie de l'immobilité de la Terre et de la position centrale de celle-ci parmi les planètes). Elle s'est imposée à la fois comme une découverte sans précédent (l'homme n'est donc pas au centre de l'Univers !) et comme une victoire de la Science, annonciatrice de triomphes à venir pour l'Esprit humain. Le mot Révolution devient alors aisément **synonyme de bouleversement mais aussi de Progrès.**

Pourtant l'acception positive du terme ne va pas de soi, y compris au XVIIIe siècle. Car dans le domaine politique, la Révolution suppose un changement brusque, radical et violent des institutions d'un Etat. Montesquieu écrit par exemple dans *L'esprit des lois* :

> « Toutes nos histoires sont pleines de guerres civiles sans révolutions ; celles des Etats despotiques pleines de révolutions sans guerres civiles. »

A ses yeux, la Révolution semble convenir aux despotismes. Au gouvernement de la brutalité, des changements brutaux. Aux gouvernements modérés que caractérisent les climats tempérés, des conflits certes mais qui ne sauraient conduire à des extrémités.

Pourtant Montesquieu s'est trompé, la France, dont le milieu harmonieux devait susciter l'équilibre et la mesure, entre bientôt dans le chaos. La prophétie juste est sous la plume de Rousseau :

> « Nous approchons de l'état de crise et des Révolutions ; qui peut vous répondre de ce que vous deviendrez alors ? »

Emile.

Composer

Les Révolutions font-elles l'Histoire ?

▸ **Si la Révolution diffère de la Révolte...**

« Non, sire, ce n'est pas une Révolte, c'est une Révolution » explique-t-on à Louis XVI étonné lors de la prise de la Bastille. Le Roi aurait dû savoir alors que les institutions allaient changer. Car la Révolution se distingue de la Révolte en ce qu'elle aspire à un bouleversement radical de l'organisation de la société. La révolte, rappelle Camus dans *L'homme révolté,* est un acte de refus individuel qui passe par la prise de conscience d'une nécessaire affirmation des valeurs humanistes. Derrière le « non ! » du révolté se fait toujours entendre le « oui ! » de l'humaniste. Les manifestations de rébellion des esclaves de l'Antiquité ne furent jamais que des révoltes. Spartacus n'avait d'autre projet que celui de rendre ses hommes, d'anciens guerriers devenus esclaves et gladiateurs, à leur patrie et à leur liberté d'origine. Au lieu de marcher sur Rome, il adossa désespérément son armée à la mer. Les révoltes sont à peine des convulsions de l'Histoire :

> « Alors que l'histoire, même collective, d'un mouvement de révolte est toujours celle d'un engagement sans issue dans les faits, d'une protesta-tion obscure qui n'engage ni systèmes, ni raisons, une révolution est une tentative pour modeler l'acte sur une idée, pour façonner le monde dans un cadre théorique. »

A. Camus, *L'homme révolté.*

▸ **... elle n'apparaît jamais comme aboutie dans l'Histoire.**

Est-ce à dire pour autant que les Révolutions sont autre chose que des accidents de l'Histoire ?

La simple définition des mots suffit à nous convaincre qu'il n'y eut, en réalité, jamais de Révolution accomplie. Car la Révolution contredit l'Histoire en ce qu'elle prétend imposer à la mouvance permanente des phénomènes qui font l'Histoire, la stabilité et la fermeté de l'Idée. Le projet révolutionnaire, pour être mené à terme, doit être conduit par des hommes qui acceptent de gouverner. Or gouverner et faire la Révolution sont des activités incompatibles. « Il implique contradiction, explique Proudhon cité par Camus, que le gouvernement puisse être jamais révolutionnaire et cela par la raison toute simple qu'il est gouvernement. »

De fait, la virtuosité princière est inconnue des idéalistes qui entraînent les peuples aux révolutions. Gouverner, c'est effectivement naviguer, savoir changer de cap lorsque la mer et les vents l'exigent, c'est aussi abandonner les principes révolutionnaires, quand les circonstances, la « fortune » — comme dit Machiavel — l'imposent. C'est pourquoi, écrit Camus, « il n'y a pas encore eu de révolution dans l'histoire ». Jamais l'idée n'est parvenue à dompter le cours des choses, cette nature finalement toujours imprévisible. La Révolution est donc une aspiration, elle donne des principes, trace des lignes d'horizon pour permettre ensuite aux politiques **d'orienter** leurs actions.

Approfondir

Institutions républicaines (Fragments)
LOUIS DE SAINT-JUST (1793)

La notion de révolution est au cœur de la pensée politique de Louis de Saint-Just. Elle est la solution au problème que soulève la nécessité de changer de constitution et de société. La révolution est donc fondation d'un ordre nouveau qui cherche à instituer le bien commun. La révolution, c'est donc le mouvement initial, le commencement de toute politique.

Sur ce point, **Saint-Just distingue Révolution et Insurrection.** La première renverse la constitution pour en établir une nouvelle, la seconde est un droit de résistance à l'oppression qui figure au nombre des droits naturels que reconnaît la déclaration de 1789. Dans ces *Institutions Républicaines,* Saint-Just rappelle en effet la subordination nécessaire du droit positif au droit naturel. Obéir aux lois, cela n'a pas de signification en soi, tout dépend à l'évidence de la nature de ces lois :

> « Obéir aux lois, cela n'est pas clair ; car la loi n'est autre chose que la volonté de celui qui impose. On a le droit de résister aux lois oppressives. »

Cette méfiance à l'égard de la loi, on la retrouve de façon récurrente à travers les textes fragmentaires qui nous sont parvenus :

> « Il faut peu de lois. Là où il y en a tant, le peuple est esclave (...) Celui qui donne à un peuple trop de lois est un Tyran. »

Les lois positives doivent procéder de cette entreprise de refondation qu'on appelle Révolution. La Révolution doit commencer par dénoncer puis réduire une supercherie. Elle doit faire éclater la vérité d'un grand crime, l'usurpation de la Souveraineté par le Roi. Ensuite elle pourra établir des Institutions nécessairement républicaines : « L'esprit avec lequel on jugera le Roi sera le même que celui avec lequel on établira la République. »

Albert Camus dans *L'homme révolté* analyse ainsi les enjeux qui furent ceux du procès du Roi :

> « Si un contrat naturel ou civil pouvait encore lier le Roi et son peuple, il y aurait obligation mutuelle ; la volonté du peuple ne pourrait s'ériger en juge absolu pour prononcer le jugement absolu. Il s'agit donc de démontrer qu'aucun rapport ne lie le peuple au Roi. »

De fait Saint-Just reprend à son compte la théorie rousseauiste de la Volonté générale, seule Souveraine et montre que l'alternative est simple : ou l'on reconnaît au Roi la Souveraineté et en ce cas la Révolution est vaine, sans objet, ou le Peuple est Souverain et Louis, « l'étranger », a commis le plus grand des crimes : il est coupable pour avoir cru être davantage qu'un homme. Un Montagnard expliquera d'ailleurs après la mort du Roi : « Nous voilà lancés. » La Révolution est maintenant irréversible.

Actualiser

Un spectacle interactif

Les différentes manifestations qui ont fêté, depuis 1989, le bicentenaire de la Révolution française ont révélé un phénomène inattendu de participation active et affective des Français à la représentation d'un événement dont les conséquences furent si déterminantes pour les Occidentaux. La Révolution française est toujours vivante, non comme « révolution permanente » mais comme « spectacle interactif », à la manière de ceux qu'anime Robert Hossein avec la complicité de MM. Decaux et Castelot.

L'anniversaire de l'exécution de la reine Marie-Antoinette, le 16 octobre 1793, a fait ainsi l'objet d'un traitement tout à fait significatif.

L'automne 1993 a vu en effet se montrer à Paris un spectacle intitulé *Je m'appelais Marie-Antoinette* et dont le principe figure de manière symbolique notre rapport à l'ensemble de la Révolution. Il s'agissait de re-présenter chaque soir à un public de plus de 4 000 personnes le déroulement du Procès de la Reine puis de soumettre à cet immense jury populaire le sort de l'accusée. On rejugeait l'affaire et l'Histoire du même coup, appelant le public à une participation active. La mort, l'exil, la prison ou l'acquittement, une fois par jour — deux fois samedi, dimanche et fête ! — étaient prononcés dans l'enthousiasme. Jamais le jury moderne n'a souhaité confirmer la réalité historique : si la Reine avait été jugée aujourd'hui, elle ne serait pas morte sur l'échafaud... La belle affaire ! Tout cela paraît effectivement absurde si l'on se place du point de vue de ceux qui voudraient juger l'Histoire deux cents ans après... En revanche ces votes prennent tout leur sens lorsqu'on les interprète comme autant de manifestations de participation. L'important n'est pas de remarquer que tel soir le public a choisi la Prison, tel autre l'exil... Ce qui paraît fascinant c'est qu'il y ait 4 000 personnes pour « jouer le jeu » (R. Hossein se désigne lui-même sur le programme vendu lors du spectacle comme « le meneur de jeu »), qu'à l'appel de leurs votes les spectateurs se lèvent de leurs fauteuils comme pour signifier « ces événements qui ont eu lieu il y a deux cents ans me concernent encore aujourd'hui ».

On découvre alors que cette Révolution reste pour nous le véritable mythe fondateur de la République, que le désir de participer à sa représentation est un désir de Sacré, que 1789 loin de s'opposer à 1793 dans l'imaginaire républicain forme avec lui ce qu'il convient **non de commémorer mais bien de célébrer.**

Définir

Tabou !

Le Sacré, c'est l'Absolu, ce qui existe indépendamment de tout lien, ce qui se trouve **au-dessus** de toute réalité. De fait, **ce qui est sacré ne peut être touché sans être souillé ni souiller à son tour.**

Par nature, le sacré est ambivalent, il est même l'ambivalence. Comme le note R. Caillois dans *L'homme et le sacré,* le sacré éveille en chacun « la crainte de s'y brûler et le désir de l'allumer ».

Or, d'où vient cette disposition que semblent partager toutes les sociétés humaines à signifier la présence du sacré ? D'une expérience logée en chaque homme, celle qui le conduisit à un moment défini de l'enfance à redouter la figure du Père tant aimé et si souvent haï ?

Quelle que puisse être la réponse que nous donnons à la question posée de l'origine du sacré, il faut remarquer que c'est la religion qui se charge de canaliser cette disposition naturelle à produire du surnaturel. C'est bien elle qui prétend rétablir le lien (*re-ligare* : relier) avec le sacré si lointain.

Composer

Les dieux sont-ils morts ?

▶ **La mort des dieux...**

Comment meurent les Dieux ? Ils meurent de façon **équivoque** écrit Nietzsche dans *Ainsi parlait Zarathoustra* :

« Lorsque les dieux meurent, ils meurent de plusieurs sortes de morts. »

Ce n'est évidemment pas du côté de l'observation sociologique (le recul de la pratique religieuse en Occident à la fin du XIXᵉ siècle) qu'il convient de fixer la signification, fût-elle plurielle, de cette paradoxale exclamation : « Dieu est mort ! » On doit, par contre, envisager cette extinction du divin tout d'abord dans le contexte d'une rationalisation progressive de la Nature... **Si les Dieux sont morts, n'est-ce pas d'asphyxie ?** De fait la Science ne semble avoir eu de cesse de chasser les dieux du lieu qu'ils occupaient.

Ainsi l'Antiquité les laisse, dans un premier temps, habiter la Nature... Les arbres et les rivières abritent les nymphes et les divinités les plus variées, la nature trouve son âme dans le surnaturel, les phénomènes que l'homme y observent n'ont donc pas besoin d'être expliqués... Avec Epicure, même le ciel n'est plus un refuge... En quelques siècles la physique et l'atomisme ont repoussé le divin hors du sensible, c'est-à-dire d'une Nature dont la raison se rend progressivement le « maître et possesseur »... La mort des Dieux paraît coïncider avec la naissance de l'Humanisme. L'homme s'installe au cœur du monde et au centre de la Cité.

▶ **... n'annonce-t-elle pas celle des hommes ?**

C'est ainsi que l'on peut aussi interpréter la représentation que le Christianisme offre d'un Dieu fait homme, étape nécessaire à la découverte de la puissance d'un homme fait Dieu (voir Humanisme). Le portrait de l'artiste par lui-même peint par Dürer en 1500 est à ce propos chargé d'ambiguïtés : Est-ce le divin ou bien l'humain que figure le peintre qui pose en *salvador mundi* ? Est-ce Dürer qui prête au Christ ses traits ou bien celui-ci qui se manifeste encore sous un visage humain (qui se trouve être, **par hasard et pourquoi pas,** celui de l'artiste ? On est déjà pas loin de penser alors que si les triangles avaient un Dieu, il aurait trois côtés...

La mort de Dieu, c'est donc le refus qu'il y ait un sens donné « d'en haut », ou plus exactement d'ailleurs... La déréliction, c'est-à-dire le sentiment que les dieux se cachent ou qu'ils nous abandonnent, n'apparaît guère que comme une « mise en scène » destinée à feindre d'ignorer que le chaos qui guette relève de notre propre responsabilité. Car l'existence des dieux ne garantissait-elle pas celle des hommes ? Retournement du symbolisme chrétien : en crucifiant le fils de Dieu fait homme, n'est-ce pas du même coup l'homme lui-même que l'on cloue ? Désormais seuls à distribuer du sens, que de risques les hommes n'ont-ils pas pris ? C'est significativement à ce personnage qu'il appelle « l'insensé » que Nietzsche confie la tâche d'annoncer la nouvelle :

> « Où est Dieu ? Je vais vous le dire ! Nous l'avons tué — vous et moi ! Nous sommes tous ses meurtriers. »
>
> *Le gai savoir.*

Approfondir

Totem et tabou
SIGMUND FREUD (1913)

Particulièrement attentif aux travaux de Frazer dont le *Rameau d'or* a marqué l'histoire de l'ethnologie, Freud interroge les pratiques totémiques des sociétés primitives et croit y discerner des indices précieux pour la compréhension du mécanisme de sacralisation, à l'origine peut-être de toute forme de socialisation.

Il rappelle ainsi le statut de l'animal-totem, protégé par la communauté qui en fait un symbole protecteur, puis rituellement mis à mort et dévoré par chacun des membres de la tribu au cours d'un repas collectif. Tuer puis manger ce que l'on a vénéré, mais surtout faire de cette action le moyen par lequel la solidarité communautaire se trouve représentée, voilà qui intrigue l'inventeur de la psychanalyse :

> « Le repas totémique, qui est peut-être la première fête de l'humanité, serait la reproduction et comme la fête commémorative de cet acte mémorable et criminel qui a servi de point de départ à tant de choses : organisations sociales, restrictions morales, religion... »

De fait, la fonction du totem est bien re-présentative. Il figure l'ancêtre du groupe. On conçoit par conséquent qu'il soit considéré comme un esprit protecteur et bienfaiteur auquel on rend un culte :

> « Ceux qui ont le même totem sont soumis à l'obligation sacrée, dont la violation entraîne un châtiment automatique... »

Quelle est, dans ces conditions, la signification de ce repas totémique qui est une véritable constante des sociétés primitives ?

Pourquoi soudain la communauté s'autorise-t-elle à accomplir ce qu'elle proscrit à chacun de ses membres ?

Le repas totémique célèbre le meurtre du Père de la horde primitive, c'est du moins ce que Freud imagine pour comprendre cette pratique surprenante. Frustrés dans leur désir de s'approprier les femmes gardées jalousement par le vieux mâle, las d'obéir à la violence d'un seul, les jeunes hommes de la horde se liguent pour assassiner celui qu'ils redoutent autant qu'ils le vénèrent. Mais ce meurtre, loin de les libérer, les enchaîne à un sentiment de culpabilité qu'ils parviennent à supporter grâce à la totémisation et à la défense de tabou.

> « Ils désavouaient leur acte, en interdisant la mise à mort du totem substitut du père, et ils renonçaient à recueillir les fruits de ces actes, en refusant d'avoir des rapports sexuels avec les femmes qu'ils avaient libérées. »

Les fils s'appliquent à eux-mêmes et avec la plus extrême rigueur la loi du Père qu'ils ont tué et inventent l'**interdit de l'inceste, que Cl. Lévi-Strauss identifie comme une structure constante des sociétés humaines.**

Ce meurtre primitif est célébré par le repas totémique qui rappelle aux conjurés leur complicité, représente et expulse également le sentiment de la faute. Ce scénario a le mérite de penser le processus de sacralisation qui utilise évidemment les mêmes ressorts que la pratique du totem et du tabou. L'ambivalence du sacré trouverait donc son origine dans l'ambivalence du sentiment du fils à l'égard du Père. Impossible dans ces conditions de penser le Sacré sans cette violence fondatrice, l'un et l'autre étant des principes explicatifs du phénomène de socialisation. Les « associés » sont en effet à l'origine des complices dans le crime, et la religion sublime cette complicité.

On imagine aisément que l'accueil réservé à cet ouvrage de Freud est extrêmement tiède. De fait, il faut attendre 1972 et *La violence et le sacré* de R. Girard pour que ces thèses soient sinon réhabilitées du moins examinées avec bienveillance. Freud aurait effectivement anticipé sur la réflexion contemporaine qui fait du sacré l'élément constitutif originel de toute société humaine.

Ajoutons enfin que le mérite de la fiction freudienne du meurtre du Père tient à ce qu'il s'efforce de faire correspondre la vie du groupe avec celle de l'individu. Chaque Œdipe trouve logé dans son inconscient le mécanisme de formation de la société.

A c t u a l i s e r

Du sacré dans notre profane ?

La perte du sentiment du Sacré et le recul des pratiques religieuses paraissent être les conséquences les plus manifestes de l'emprise de la Science sur les sociétés occidentales développées. De fait, à l'échelle des deux siècles derniers le phénomène est indiscutable, même si de temps à autre, ici ou là, on observe tel accès de ferveur à l'occasion de tel ou tel événement. Il faut en effet distinguer l'attrait qu'exercent aujourd'hui des figures comme celles du pape Jean-Paul II ou de l'abbé Pierre de l'influence réelle de leurs discours sur les comportements (le décalage est évidemment très sensible dans le domaine de la sexualité).

Ainsi la science nous aurait débarrassé du Sacré, laissant découvert un monde entièrement profane où la Raison se sent chez elle. Triomphe du positivisme ?

Or très précisément qu'annonçait Auguste Comte en 1822 dans ses *Prospectus des travaux scientifiques nécessaires pour réorganiser la société* ? Qu'il convenait de remplacer le prêtre par le savant... Etait-ce alors vouloir éliminer le sacré en expulsant ses « administrateurs » ? Ou chercher à sacraliser la Science ? **Le savant chasse-t-il le prêtre ou bien le remplace-t-il ?** Le culte voué à la Raison n'est-il pas aussi irrationnel que ceux rendus aux dieux du ciel ?

Il est évident que nous n'en avons pas fini avec le Sacré... Et l'attitude ambiguë que nous entretenons à l'égard de la Science rappelle cette ambivalence du *sacer* (voir : **Définir**). Effectivement si la Science est perçue comme redoutable — les savants eux-mêmes se méfient désormais de ce que dissimulent ses applications techniciennes et politiques (voir : **Ethique**) et se défendent de figurer sous la descendance du « Dr Frankenstein » —, elle fait aussi l'objet d'une croyance profondément ancrée dans l'esprit, celle que le champ de ses possibles demeure illimité. Edmond Husserl au début du siècle avait montré dans *La crise des sciences européennes* que la Science assumait le désir d'infini logé dans l'âme européenne : ses intentions ne sont pas indifférentes. Elle permet de tenir sur la nature le discours d'un pouvoir sans limites, le Progrès ne saurait être que continuel. Partant, ne cessent d'être formulées ces déclarations d'intention qui affirment que telle maladie, tel virus trouvera son remède : la recherche trouve toujours. Voilà ce qui relève de la foi et fixe la science en lieu et fonction de la religion, l'une et l'autre expression d'une sacralité qui trouve peut-être son origine en Occident dans l'effroi délicieux que suscite en nous l'idée de l'infini.

Définir

Est-il bon, est-il mauvais ?

Le sauvage, c'est au sens propre l' « homme des bois », celui qui vit dans la forêt (*silva*, en latin). Le mot n'a été véritablement utilisé qu'au XVIᵉ siècle, à l'âge des Grandes Découvertes, quand les Européens ont cru rencontrer des hommes vivant dans un rapport de proximité avec la Nature. Aucune connotation particulière n'est donc attachée au mot « sauvage ». Tout va dépendre de la représentation que l'on offre de la Nature. En aura-t-on la nostalgie ? Alors le sauvage, tout naturellement sera bon. La tiendra-t-on en horreur ? La sauvagerie pourra dès lors renvoyer à un état animal dégradant pour l'humanité.

Au XIXᵉ siècle, le mot cesse d'être employé. On lui préfère celui de « primitif ». Cette évolution témoigne-t-elle du sentiment que la pure et vierge Nature a désormais disparu ? Evidemment on a trouvé un antonyme commode pour « civilisé ». A présent l'évocation des peuples « primitifs » placera ceux-ci au plus bas niveau sur l'échelle du Progrès. Le primitif sera perçu comme vivant dans un état d'enfance de l'humanité, victime d'un « retard » qui justifiera toutes les entreprises de colonisation à venir.

Composer

Entre Nature et Culture

▸ **L'homme de la Nature...**

Le sauvage fait avant toute chose l'objet d'une véritable découverte. Bougainville en 1771 découvre ainsi simultanément Tahiti et les Tahitiens :

> « Un peuple nombreux jouit des trésors que la Nature verse à pleines mains sur lui (...) Partout, nous voyons régner l'hospitalité, le repos, une joie douce et toutes les apparences du bonheur. »
>
> *Voyage autour du monde.*

On découvre l'homme tel qu'on l'imaginait au commencement des temps. Connaître le sauvage, c'est aussi connaître la nature humaine, vierge de toute « impureté culturelle ». De fait, l'essor de l'anthropologie au XVIIIᵉ siècle doit tout à cette nouvelle **invention** qu'est le sauvage.

Bougainville avait ramené avec lui un Tahitien, Aotouron, qui suscita la curiosité de Tout-Paris et incita Diderot à rédiger, dès 1772, un *Supplément au voyage de Bougainville*. Dans ce texte polémique Diderot esquisse un premier portrait du « bon sauvage » qui contraste avec la représentation dépravée de l'homme occidental. Le premier vit en harmonie avec la Nature alors que le second ne songe qu'à s'approprier cette même Nature :

> « Et toi, chef des brigands — s'exclame un vieillard à l'intention de Bougainville, écarte promptement ton vaisseau de notre rive : nous sommes innocents, nous sommes heureux ; et tu ne peux que nuire à notre bonheur. Nous suivons le pur instinct de la nature : et tu as tenté d'effacer de nos âmes son caractère. »

On comprend comment le **bon sauvage** devient un mythe qui prolonge celui de l'âge d'or :

> « L'état d'innocence, de béatitude spirituelle de l'homme avant la chute, du mythe paradisiaque, devient dans le mythe du bon sauvage l'état de pureté, de liberté et de béatitude de l'homme exemplaire au milieu d'une Nature maternelle et généreuse. »
>
> M. Eliade, *Mythes, rêves et mystères.*

► **... est aussi l'homme d'une culture.**

Mais le sauvage n'est pas qu'un mythe. Voilà ce que montre l'anthropologie. Les Indiens du Brésil que rencontre Cl. Lévi-Strauss dans *Tristes tropiques* existent bel et bien. Ce que leur connaissance nous apporte, c'est avant tout la confrontation à une culture qui refuse l'Histoire. En effet, les peuples primitifs diffèrent des peuples civilisés en ce qu'ils refusent le temps linéaire, indispensable à l'idée de Progrès. Ils vivent dans un temps cyclique, se servant du mythe pour abolir l'Histoire.

Cette différence est essentielle. Mais au fond, rien d'autre ne permet d'opposer le primitif aux civilisés.

« Aucune société n'est foncièrement bonne — rappelle Cl. Lévi-Strauss dans *Tristes tropiques* —, mais aucune n'est foncièrement mauvaise. » De fait, aucune société n'est meilleure, supérieure ou inférieure. Chacune des communautés humaines a donné une réponse singulière à la même question que posait la nécessité de vivre collectivement. Claude Lévi-Strauss voit même dans l'interdit de l'inceste, la première des règles sociales selon lui, une structure commune à toutes les sociétés.

Approfondir

Essais, livre I
MICHEL DE MONTAIGNE (1580)

Avec la découverte de l'Amérique, le mythe devient réalité. La figure du sauvage commence alors à renvoyer à l'homme civilisé une image sur laquelle il n'a pas fini de réfléchir. En effet, le sauvage c'est à la fois le même (un homme) et l'autre (ses mœurs qui semblent si radicalement étrangères). Son apparition va susciter de nombreuses interrogations et conduire à une révélation : tout ce qui touche à l'humain est soumis simultanément à la loi de l'universel et à celle du particulier.

Le premier à mesurer les conséquences de l'apparition des premiers sauvages dans la conscience européenne est sans doute Montaigne. Annotant l'*Histoire d'un voyage fait en la terre de Brésil autrement dite Amérique* publié en 1568 par Jean de Léry, l'auteur des *Essais* comprend qu'il dispose avec ces descriptions ethnographiques d'un outil efficace pour achever la réflexion entreprise de longue date sur le relativisme. Car ce que nous apprennent les cannibales du Brésil, c'est qu'il existe des comportements sociaux qui sont encouragés ailleurs lorsqu'ici on les encourage. Bref, les mœurs sont bien relatives à la société dans laquelle on les observe. Ce qui paraît bon et juste ici, ne l'est guère nécessairement là-bas. Pas de norme qui soit universelle, il est sot de juger à la mesure de nos propres habitudes celles de celui qui nous est étranger :

> « Je trouve (...) qu'il n'y a rien de barbare et de sauvage en cette nation (cannibale) sinon que chacun appelle barbarie ce qui n'est pas de son usage. »

Cinq siècles plus tard, ces mots trouveront leur écho chez Claude Lévi-Strauss :

> « En refusant l'humanité à ceux qui apparaissent comme les plus "sauvages" ou "barbares" de ses représentants, on ne fait que leur emprunter une de leurs attitudes typiques. Le barbare, c'est d'abord l'homme qui croit à la barbarie. »

Actualiser

Comme un sauvage dans les villes

Où sont à présent les sauvages, sinon peut-être dans nos villes?

Lorsque Rousseau prétendait faire de son élève-modèle, Emile, un homme capable de vivre en sauvage dans la ville, il ne cherchait rien d'autre sinon rappeler la vanité d'un quelconque projet de « retour à la Nature ». Car la Pure Nature a bien disparu, impossible d'échapper à la société et à la culture, illusoire de croire pouvoir encore trouver des territoires qui ne soient pas aménagés! Pour le « citoyen de Genève » toutefois, l'éducation permettait de préserver en chacun cet état d'innocence qui caractérisait l'homme à l'état de Nature.

Or les sauvages urbains de nos jours ne veulent plus aller à l'Ecole, instrument d'un monde qui les rejette et auquel, malgré tout, ils ne sauraient échapper. Livrés à eux-mêmes, ils retrouvent le sens de la sauvagerie, ne serait-ce que parce qu'ils sont « lâchés dans la nature ». La France aurait ainsi sur son territoire plus de 400 000 individus « sans domicile fixe », au nombre desquels il faudrait compter 70 000 jeunes de moins de vingt-cinq ans. Plus préoccupante encore que cette réalité de l'exclusion, l'idée que les adolescents se font de la société dans laquelle ils vivent : selon un sondage de juillet 1992, publié dans un quotidien parisien, 58 % des jeunes interrogés considèrent qu'ils ne sont pas « intégrés », étrangers à des valeurs motrices d'une société en laquelle ils ne croient plus.

Cette population jeune et nombreuse ne se disperse pas. Au contraire, elle se rassemble par le moyen d'une culture que caractérise un réel primitivisme de l'expression : simplicité des rythmes musicaux, naïveté des tags, indifférence de cette mode grunge (de *grotty,* « crade », et *gunge,* voyou) qui fait du recyclage des déchets un moyen de vivre. Evidemment cette attitude culturelle n'a rien d'un jeu.

Au « bon sauvage » que singent les nantis de la société de consommation avec la création en 1954 du « Club Med. » (abandon des vêtements, nourriture à profusion, amour et soleil en toute liberté) répondent aujourd'hui les « vilains primitifs », méchants petits canards à qui la crise ne permet pas de grandir.

D é f i n i r

Non à l'inégalité

Le socialisme ressemble à une révolte dans l'Histoire des idées politiques : **c'est à la fois un refus et une affirmation.** Ce double postulat est très clairement formulé par Proudhon en 1848 :

> « Je proteste contre la société actuelle et je cherche la Science. A ce double titre, je suis socialiste. »

La protestation naît du constat des inégalités qui caractérisent la vie des hommes en société. Elle passe par une remise en cause de la propriété privée, seule véritable manifestation de cet état de déséquilibre des conditions de vie des individus. Les réponses que donnent les socialistes sont variées à la question que pose alors la suppression de la propriété privée. Que l'on fasse des travailleurs les seuls propriétaires légitimes de leurs outils de travail et l'on aura un socialisme corporatif. Que la solution retenue soit celle de la détention par l'Etat des moyens de production et ce sera le socialisme d'Etat.

Quant à la Science que recherche le socialiste Proudhon, c'est elle qui doit permettre d'accéder à l'ensemble des citoyens au Progrès, au confort matériel, à cette victoire des hommes sur la Nature qui vise à faire disparaître la peine attachée au travail. Le socialisme rejette la société réelle pour les inégalités qu'elle pérennise et rêve de demain, heureuse et sans conflit. De ce fait, le socialisme participe toujours de ce goût pour la science-fiction que développe les utopistes de tous les âges, en ce qu'il « nie les misères du présent pour se réfugier dans des lendemains enchanteurs » (J. Servier, *Histoire de l'utopie,* 1967).

De fait, le mot « socialisme » est un néologisme utopiste. Il aurait en effet été forgé en 1832 par un saint-simonien du nom de Pierre Leroux, en opposition au mot individualisme.

Composer

Le socialisme s'oppose-t-il au libéralisme ?

▶ **Refuser l'inégalité...**

L'idéal socialiste naît du constat de l'injustice sociale liée à l'inégalité des hommes dans la société. Il observe que rares sont ceux qui jouissent pleinement de cette liberté dont l'article 2 de la Déclaration des Droits de l'Homme et du Citoyen de 1789 avait fait un droit inaliénable et absolu, c'est-à-dire un droit naturel. Jean Jaurès le rappelle dans *Socialisme et liberté* :

> « Il faut donner à tous une égale part de droit politique, de puissance politique, afin que dans la Cité aucun homme ne soit l'ombre d'un autre homme... »

Le projet est donc de rendre aux hommes leur liberté perdue. Des accents rousseauistes sont évidemment perceptibles : la liberté naturelle a disparu dans les sociétés humaines, il importe par conséquent de la rétablir. Comment ?

▶ **... s'en remettre à la science...**

Le XIXᵉ siècle a cru au progrès des Sciences et des Techniques. L'inégalité des conditions allaient être réduite grâce à un confort et une richesse matériels tels qu'il serait désormais inutile aux hommes d'asservir d'autres hommes. Devenus réellement les « maîtres et possesseurs de la Nature » (Descartes), parce qu'ils vivraient dans la profusion, ils échapperaient à l'exploitation du travail d'un grand nombre par une minorité. L'abondance finirait par abolir véritablement tous les privilèges. Voilà la signification du projet de Comte : remplacer le gouvernement des hommes par celui des choses. **Tous unis, en quelque sorte, contre la Nature.** Les hommes du XIXᵉ siècle espèrent en la vertu de la Science, ils lui accordent une dimension morale et politique :

« La Science possède désormais la seule force morale sur laquelle on puisse fonder la dignité de la personnalité humaine et constituer les sociétés futures. »

M. Berthelot, *Science et morale.*

▶ **... pour établir une égalité préalable à l'instauration de la liberté.**

On le comprend, le socialisme n'est pas hostile à la liberté individuelle ; au contraire, elle apparaît comme la finalité même de son projet de réorganisation sociale. Mais il dénonce, au nom du principe d'égalité, le décalage entre les « libertés formelles », reconnues par la Déclaration de 1789 et les « libertés réelles » vécues par les citoyens. Le socialisme a pour ambition de supprimer ce décalage. Pour lui l'établissement de l'égalité va garantir la liberté réelle de chacun. A l'inverse les libéraux, ceux du XVIIIe siècle, s'ils défendent évidemment la liberté individuelle font de celle-ci un préalable. L'écart entre liberté réelle et liberté formelle va se réduire de lui-même. Inutile de « forcer la nature ». L'inégalité est un passage obligé mais un simple passage. L'égalité s'imposera naturellement sitôt que la prospérité collective le permettra. Les socialistes rétorquent que celle-ci suppose un encouragement des égoïsmes particuliers, lesquels demeurent la « cause première » de cette inégalité sociale dénoncée depuis Rousseau.

Socialisme et libéralisme s'accordent sur les principes : la liberté et l'égalité. Ils postulent également que l'une ne peut aller sans l'autre mais divergent fondamentalement quant à la priorité qu'il faut accorder à l'un ou à l'autre de ces droits absolus.

Approfondir

Le manifeste du Parti communiste
KARL MARX, FRIEDRICH ENGELS (1848)

Que manifestent Marx et Engels en prenant le parti du communisme ? Avant toute chose leur désir d'exprimer ouvertement leur projet d'instaurer un nouvel ordre social :

« Les communistes dédaignent de dissimuler leurs idées et leurs projets. Ils déclarent ouvertement qu'ils ne peuvent atteindre leurs objectifs qu'en détruisant par la violence l'ancien ordre social. »

Il faut donc commencer par formuler la critique de l'ordre social actuel, constitué par la bourgeoisie. Le *Manifeste* repose ainsi sur l'idée que **l'Histoire des sociétés est faite de l'Histoire de l'affrontement des différentes classes sociales.** Cette hypothèse de travail ne va pas de soi pour les lecteurs contemporains. La culture dans laquelle ils baignent rend la conception d'une telle théorie de l'Histoire difficile : cette culture est elle-même produite par la classe dominante dont l'intérêt semble être d'occulter les fondements et la réalité de la domination qu'elle exerce sur l'ensemble de la société.

> « Vos idées, déclarent Marx et Engels à leurs détracteurs, ont elles-mêmes leur origine dans les conditions bourgeoises de la production et de la propriété, de même que votre droit n'est que la volonté de votre classe érigée en loi. »

Les idées ne sont jamais détachées des conditions historiques, c'est-à-dire matérielles, dans lesquelles elles sont apparues. Marx et Engels s'efforcent de penser l'idéalisme avec réalisme, en retirant aux idées leur innocence. On connaît la célèbre formule de Marx dans la préface à la *Critique de l'économie politique* :

> « Ce n'est pas la conscience de l'homme qui détermine sa manière d'être, mais c'est au contraire sa manière d'être sociale qui détermine sa conscience. »

La bourgeoisie n'a donc pas renversé l'ordre féodal au nom de « principes » égalitaires, elle a cherché à détruire les chaînes de vassalité qui unissaient — pour le meilleur et pour le pire ! —, les individus. Son action sur la société fut désagrégatrice, elle « n'a laissé subsister, d'homme à homme, d'autre lien que l'intérêt tout nu, que l'impassible paiement au comptant ». Sous couvert d'humanisme, la bourgeoisie a déshumanisé la vie communautaire pour mieux défendre la propriété privée.

De fait, ce que réclament les communistes, c'est l'avènement d'une authentique vie de la communauté des hommes et non le maintien d'une société fondée sur la défense des égoïsmes individuels. Cela passe évidemment par l'abolition de la propriété privée :

> « Vous nous reprochez donc de vouloir abolir une propriété qui suppose comme condition nécessaire que l'immense majorité de la société n'est pas propriétaire. En un mot vous nous reprochez de vouloir abolir votre propriété à vous. Certes, c'est bien ce que nous voulons. »

Le *Manifeste* déclare donc ouvertement la guerre à la société bourgeoise au nom de la défense des plus démunis des hommes, ceux que les latins désignaient de l'expression « prolétaires » (*proletarii,* ceux qui n'ont rien d'autre que leurs enfants, *proles*). Cette lutte qui commence dépasse le cadre des frontières — les prolétaires n'appartiennent à aucune nation, « ils respirent le même air des usines » —, et la dialectique qui fait nécessairement, presque mécaniquement, de l'esclave le maître du maître la promet victorieuse.

Actualiser

Les forces de Progrès

Socialisme est un mot qui n'est plus toujours assumé pleinement par ceux-là mêmes qui s'en réclamaient pourtant naguère, comme s'il avait un arrière-goût de défaite électorale qu'il faudrait à tout prix dissimuler. Toutefois — et c'est une pauvre consolation —, l'Histoire des idées politiques enseigne que la recherche de l'épithète bienséant, celui qui rassure, ne date pas d'aujourd'hui : « socialisme scientifique », « socialisme utopique », « socialisme libéral », « social-démocratie », « radical-socialiste »... Tant d'expressions plus ou moins lexicalisées qui cherchent à envelopper ce néologisme inventé en 1833 par Pierre Leroux, un disciple de Saint-Simon.

Il est vrai que l'actualité électorale récente montre qu'en Europe les socialistes s'efforcent d'escamoter leur spécificité en la diluant dans des alliances qui font surgir ici une « Majorité présidentielle », là un « Pôle progressiste », euphémismes pour ne pas dire qui l'on est ou avancer masqué. Mais pourquoi craindre à ce point le mot « socialisme » ? N'est-il pas au fond dérisoire de chercher dans l'appellation « forces de Progrès » à faire « table rase du passé » ?

De fait, quelle force politique ne prétend pas incarner le Progrès, c'est-à-dire la marche en avant ? Qui propose le retour en arrière ? La régression ? Qui milite en faveur de la disparition des acquis politiques et sociaux ? De la même façon qui n'est pas « socialiste », au sens strict du terme ? Le *socius,* c'est l'allié, celui avec lequel je m'allie dans le cadre d'une *société...* Quel grand parti politique ne met en avant aujourd'hui la notion de solidarité ? Que redouter par conséquent de ces mots autour desquels pivote notre vie politique depuis cinquante ans? A quoi bon rechercher des euphémismes pour neutraliser ce qui, du point de vue sémantique, est totalement transparent? D'ailleurs, pour continuer à prendre les mots pour ce néant qu'ils disent à la lettre, qui, d'un autre côté, n'est pas prêt à se rassembler pour la République? Qui ne voudrait s'unir pour la démocratie française?

Paradoxalement, les contorsions linguistiques auxquelles se livrent depuis peu les différents partis socialistes (ne serait-ce qu'en France et en Italie) font saillir le caractère indéterminé de leur dénomination. Socialistes, républicains, démocrates nous le sommes presque tous, et nous sommes presque tous disposés à fusionner dans ces « forces de Progrès » qui ne sauraient être que celles de tous! Comme si le vague terminologique était le triste reflet d'un flou idéologique à l'intérieur duquel baignent depuis vingt ans les différents partis de gouvernement. Au fond, pourquoi se donner une identité quand on est voué à gérer uniformément les affaires publiques?

L'Alliance

L'expression est, selon l'étymologie, une authentique redondance.
La *societas* est composée de *socii,* c'est-à-dire d'alliés qui ne sont
autres que des *cives,* des citoyens. Chez Cicéron, par exemple, on
peut noter que *societas* et *civitas* sont des synonymes parfaits.

En fait, le concept de « société civile » a été forgé au XVIIᵉ siècle
pour donner à l'état de Nature un antonyme.

Aujourd'hui, si l'expression retrouve une fortune nouvelle, c'est
pour désigner ceux que l'on exhibe au titre de ses représentants,
pour les opposer aux politiciens professionnels. Désormais, le gouvernement de la République s'ouvre régulièrement à des ministres
issus de la société civile, c'est-à-dire du monde de la seule compétence professionnelle et de la réussite économique et sociale.

C o m p o s e r

La société est-elle toujours civile ?

▶ **La société civile protège les besoins...**

L'association des hommes au sein d'une société, d'une Cité (*socius,*
l'allié) est une alliance contre la violence d'un état de nature que le
philosophe britannique Hobbes décrit avec effroi (cf. *Contrat**). Elle

protège les individus d'une violence naturelle et permet naturellement de répondre aux besoins de chacun en toute sécurité.

La sécurité de l'échange, voilà ce que garantit la société. Platon le rappelle dans *La République* (livre II) : « Il y a, selon moi — c'est Socrate qui parle — naissance de société du fait que chacun de nous, loin de se suffire à lui-même, a au contraire besoin d'un grand nombre de gens. » La diversité des besoins élémentaires conduit à expliquer la naissance de la société comme la nécessité de la division du travail. Ainsi naturellement chacun travaille pour les autres, les échanges se font harmonieusement. Chacun, par la recherche de son intérêt particulier à répondre à ses besoins, contribue au bonheur de tous. C'est la cité saine, au sens où l'entend Adimante, l'un des interlocuteurs de Socrate, sans conflits, autorégulée, « civile » c'est-à-dire bien policée.

▶ **... mais elle n'empêche pas les excès...**

Toutefois cette première définition de la Cité ne paraît pas entièrement acceptable au frère d'Adimante, Glaucon. Celui-ci nomme cette cité, la « cité des pourceaux », car elle porte en elle le principe de sa prochaine décadence. En effet, la cité des besoins demeure harmonieuse tant qu'elle ne répond pas au besoin du luxe, tant qu'elle se limite à la satisfaction des besoins élémentaires du corps et qu'elle résiste à l'accumulation des richesses. Mais la nature de l'homme pousse ce dernier à désirer toujours davantage, à rechercher une rétribution supérieure aux services rendus. De ce déséquilibre naîtront alors les conflits, liés au spectacle de l'inégalité sociale. La société devient alors « incivile », c'est-à-dire un nouveau champ d'affrontements des désirs.

▶ **... et dénature les hommes qui la composent.**

La règle de la société civile se révèle être celle du « toujours plus ». Le luxe appelle le luxe et les démonstrations de supériorité qui flattent l'amour-propre éloignent les hommes de leur véritable nature. Pour employer un vocabulaire rousseauiste, l'être est alors séparé du paraître :

> « Il fallut pour son avantage se montrer autre que ce qu'on était en effet. Etre et paraître devinrent deux choses tout à fait différentes ; et de cette distinction sortirent le faste imposant, la muse trompeuse, et tous les vices qui en sont le cortège. »
>
> Rousseau, *Discours sur l'origine de l'inégalité.*

Approfondir

Principes de la philosophie du Droit
FRIEDRICH HEGEL (1821)

La société civile naît de ce que la famille, lieu de l'harmonie entre l'individu et la tradition, ne peut satisfaire tous les besoins individuels. Il faut quitter la famille pour partir à la recherche de ce qui peut répondre aux intérêts et aux inclinations particuliers. L'individu éprouve alors la nécessité de manifester son égoïsme. **De fait, la Société civile apparaît à Hegel comme une communauté à part, la réunion d'intérêts privés qui se heurtent.** Le philosophe voit cette Société civile comme un ensemble d'atomes qui se repoussent et font du principe même de leur répulsion leur raison commune : « Dans la société civile, chacun est son propre but et les autres sont ignorés. » C'est donc une « communauté sans but positif », chaotique et brutale.

Mais cet espace où éclatent sans cesse des conflits d'intérêts, c'est aussi le lieu du travail. L'individu quitte la sphère protégée de sa famille pour travailler dans la Société civile et acquérir par son travail les moyens de satisfaire ses appétits. Or par le travail, l'homme transforme la Nature, il l'informe et partant donne à la Société civile un rôle déterminant dans le développement de l'humanité. Poussé par ses besoins égoïstes l'individu travaille, mais il ne travaille pas directement pour lui. La multiplicité des besoins a rendu la spécialisation de la production et la division du travail nécessaires. Celles-ci placent les individus dans des relations d'interdépendance et finalement chacun se trouve contribuer au bien commun.

La division du travail a eu également pour conséquence la répartition des membres de la société civile en classes. Hegel distingue trois classes sociales : la classe « substantielle » des agriculteurs, la classe réflexive des travailleurs des manufactures et des industries et la classe « universelle » de ceux qui ont pour intérêt particulier la gestion des intérêts collectifs. Ces trois classes entrent régulièrement dans des conflits qui sont le moteur même de l'histoire. (« L'histoire de la politique intérieure se réduit à l'histoire de la formation des classes, des conflits juridiques qui opposent les individus à ces classes, des antagonismes des classes avec le pouvoir central. ») Pour réguler ces conflits, et de façon mécanique et libre (sans intervention extérieure) la société civile produit des lois, des codes, institue une police... On perçoit se dégager inéluctablement la nécessité de l'Etat.

La société civile se situe en effet entre la famille et l'Etat dans le développement des communautés humaines. Elle correspond au second moment dialectique, celui du négatif, c'est-à-dire du conflit, lequel est double. Le conflit des égoïsmes entre eux et celui que découvre l'individu « lâché » dans la Nature qu'il doit transformer par le travail.

Actualiser

Une ruse de politiciens ?

L'arrivée des représentants de la société civile au gouvernement n'apparaît-elle pas toujours comme une ruse de politiciens discrédités dans les médias ? On remarquera ainsi que cette société civile retrouve régulièrement le chemin des ministères lorsqu'éclatent des « affaires » qui impliquent alors une classe politique accusée d'abuser d'un pouvoir qui lui délèguent les citoyens. Dans le même temps le poids des « élites », c'est-à-dire des Grandes Ecoles, devient plus sensible à l'opinion publique.

Récemment, la séparation gouvernés-gouvernants n'est-elle pas devenue si manifeste qu'elle a été sentie comme une mesure au bon fonctionnement de la démocratie (l'abstention massive au Référendum de 1981 portant sur le statut de la Nouvelle-Calédonie) ? La classe politique n'est-elle pas perçue désormais comme une caste jalouse de ses privilèges, accaparant au seul bénéfice de ce qu'il faut bien appeler une nouvelle aristocratie, des pouvoirs et des honneurs sans qu'aucune véritable compétence à gouverner ne lui soit en retour reconnue. On s'étonnera, par exemple, de voir le même homme occuper successivement le ministère du Plan puis celui de l'Agriculture. Dans ces conditions, quoi de plus rassurant que de voir à la Santé un médecin ou à l'Education nationale un enseignant ?

Historiquement, l'ouverture du monde politique à la société

civile est devenue médiatique avec l'arrivée de M. Rocard à Matignon. Elle fut symbolisée par la présence au gouvernement d'hommes dont la notoriété était assise depuis longtemps dans leur profusion (A. Decaux, par exemple). On eut même recours ensuite à de véritables « héros » populaires de la Société civile qui n'avaient jusqu'alors rendu public aucun engagement politique. Ce furent B. Kouchner, fondateur de « Médecin sans frontières » et B. Tapie, l'homme d'affaires emblématique des années quatre-vingt, qui apportèrent à la société politique la caution de leur réussite sociale. L'un et l'autre glissèrent toutefois rapidement vers la « politique politicienne ». Le premier, dont la popularité dans les sondages fut liée à des actions spectaculaires sur les champs de bataille internationaux, se prit à rêver un temps d'un avenir de présidentiable. Quant au second, il adhéra avec publicité au Mouvement des Radicaux de gauche, héritier de l'historique Parti radical socialiste.

Faut-il en conclure que la société civile est vouée à disparaître dans le sein de la société politique sitôt qu'elle touche de trop près au pouvoir ?

Définir

Le plaisir des yeux

Il n'y a de spectacle que pour le regard qui l'embrasse. *Spectre*, regarder, dit clairement que tout spectacle est fait pour des spectateurs : il n'y a de représentation, en somme, que pour ceux qui se la représentent ! Le spectacle suppose donc à la fois la présence d'un sujet-spectateur et la distance qui le maintient à l'écart de la scène qu'il observe. Le regard qui distingue, évalue, apprécie renvoie le sujet à sa toute-puissance en même temps qu'il le fixe dans une passivité inattendue. De fait, au spectacle — celui du Monde comme celui des théâtres —, je suis satisfait (tout me semble avoir été agencé à mon intention) mais je suis aussi « hors jeu », à l'écart. Que fait alors le spectateur sinon jouir de cette situation équivoque et du rôle de « voyeur » ?

Composer

Le théâtre est-il encore populaire ?

▶ **Le théâtre...**

Naguère encore, « aller au spectacle » signifiait se rendre dans un théâtre. Mais aujourd'hui que le spectacle vient au spectateur, à domicile, par l'intermédiaire du poste de télévision, l'expression paraît désuète. La télévision parce qu'elle est intarissable, parce qu'elle ne demande à son public qu'un modeste investissement, parce qu'enfin elle retire au spectateur le moindre effort, a dévoré toutes les autres formes de spectacle. Son extrême popularité rend-elle par comparaison le théâtre élitiste ? Le théâtre aurait-il perdu aujourd'hui le caractère populaire qui fut le sien au temps des Mystères et des tréteaux de foire ? Cet élitisme culturel qui semble animer certaines démarches contemporaines est-il la conséquence d'une exigence artistique ambitieuse ou le prix à payer pour un art qui n'aurait pas su préserver sa dimension politique et sacrée ?

▶ ... est devenu élitiste...

Le théâtre n'est pas un spectacle populaire parce qu'il est ressenti comme un spectacle élitiste, d'un strict point de vue économique. La salle renvoie même le plus souvent dans son architecture comme dans la disposition des sièges, l'image cruelle d'une société inégalitaire. En effet, la hiérarchie qu'imposent l'orchestre, le premier puis le second balcon, voire le « poulailler », est fondée sur l'argent. Mais le théâtre n'est pas seulement onéreux, il reste aussi d'un accès difficile dans la mesure où les salles sont peu nombreuses et concentrées dans les grandes villes.

Contre une exploitation qui fait du théâtre un spectacle élitiste (voire le spectacle même de l'élitisme social), des administrateurs, créateurs, comédiens ont réagi très tôt, à l'instar de Firmin Gémier qui au début du siècle créa le « Théâtre national ambulant » afin d'aller au devant du public le plus large. Vilar dirigeant le « Théâtre national populaire », Gérard Philippe jouant *Le Cid* ou *Caligula* pour ce même théâtre ont évidemment recherché un théâtre ouvert au plus grand nombre, subventionné par l'État, égalitaire jusque dans la disposition des gradins dans la salle. Pourtant ces efforts, entrepris depuis plus de cinquante ans, n'ont pas suffi, si l'on considère que 10 % à peine des habitués du théâtre appartiennent au monde ouvrier.

▶ ... pour avoir perdu une dimension sacrée...

C'est qu'au fond notre modernité a perdu la signification du spectacle théâtral. Artaud le rappelait dans *Le théâtre et son double* :

> « Une vraie pièce de théâtre bouscule le repos des sens, libère l'inconscient comprimé, pousse à une sorte de révolte virtuelle... »

Seule la dimension sacrée et politique du théâtre peut en faire à nouveau un spectacle populaire.

Ainsi, au moment des fêtes consacrées à Dionysos, toute la Cité d'Athènes participait effectivement à l'organisation et à la représentation des trois tragédies rituellement en compétition. Jouées, vues et jugées par les citoyens, ces pièces donnaient à chacun les moyens d'exorciser ses hantises, de purger ses passions, de libérer selon la formule d'Artaud l' « inconscient comprimé ». En projetant sur la scène la violence de la fatalité, et toutes les cruautés du destin qui guettent les hommes, ceux-ci apprenaient à vivre avec elles. Plus proches de nous, mais assurant toujours cette fonction « cathartique », il y a les Mystères du Moyen Age. Le spectacle durait plusieurs jours et les acteurs étaient le plus souvent 200. Ces manifestations considérables se tenaient sur le parvis des cathédrales et mobilisaient toute la population. Le *Mystère de la passion* d'Arnoul Gréban fait ainsi jouer à 280 acteurs amateurs un texte de 35 000 vers !

Cette vocation mystique du théâtre qui donne au peuple tout entier la possibilité de célébrer lui-même ses croyances, ses peurs, son passé, on la retrouve aujourd'hui occasionnellement lors des fêtes locales. Le spectacle, c'est alors celui de la fête, celle dont Rousseau rappelle la nécessité dans la *Lettre à d'Alembert* (voir « Approfondir »).

► **... que la modernité ne sait restaurer.**

De fait, le théâtre s'est toujours développé dans deux directions opposées : d'un côté la scène privée des pensionnaires de l'Institution de Saint-Cyr où Racine fait jouer *Athalie,* de l'autre les représentations « à ciel ouvert » ! Elitiste dans un cas, populaire dans l'autre le théâtre pourrait profiter de ces deux visages. La modernité veut parfois les confondre dans des mises en scène plus prétentieuses qu'ambitieuses. La réussite de *1789* d'Ariane Mnouchkine ne doit pas cacher que la réalisation du compromis est délicate, et que certaines exégèses intellectuellement stimulantes donnent souvent le spectacle de l'exclusion quand elles réclamaient celui de la communion.

Approfondir

Lettre à d'Alembert
sur son article de Genève
JEAN-JACQUES ROUSSEAU (1758)

Rédigée en trois semaines, cette lettre est une réponse à l'article « Genève » de l'*Encyclopédie* qui « avait pour but, rappelle Rousseau dans les *Confessions,* l'établissement de la comédie à Genève ». Or pour celui qui se désigne alors comme le « citoyen de Genève », le théâtre est un fléau.

C'est d'abord un mal qui atteint l'âme humaine et corrompt le caractère comme les mœurs. La critique n'est pas très neuve, de ce point de vue. Elle reprend en effet les vieux poncifs hérités des moralistes et des religieux des siècles précédents : le théâtre n'est qu'un divertissement qui détourne non seulement de soi-même mais aussi des autres. Loin d'encourager la convivialité, il a une action désagrégatrice :

> « L'on croit s'assembler au spectacle, et c'est là que chacun s'isole ; c'est là qu'on va oublier ses amis, ses voisins, ses proches pour s'intéresser à des fables, pour pleurer les malheurs des morts, ou rire aux dépens des vivants... »

Rousseau récuse en outre la dimension cathartique du spectacle que les Grecs avaient formulée à propos de la Tragédie : « Ainsi le théâtre purge les passions qu'on n'a pas, et fomente celles qu'on a. » Enfin, la comédie ne vaut guère mieux dans la mesure où, si elle se plaît à fustiger les vices, elle célèbre rarement les vertus... Parfois même elle les tourne en ridicule, à l'instar du *Misanthrope* de Molière, auquel Rousseau accorde d'ailleurs trop d'attention pour n'avoir pas cédé à l'identification !

Rousseau innove toutefois en dégageant la fonction sociale du théâtre. Car si l'établissement d'une salle de spectacle doit être combattue à Genève c'est qu'elle aurait une action corruptrice non seulement sur les individus mais surtout sur la Cité. Certes un théâtre saurait attirer, rendre attrayante la ville et partant activer le commerce. Mais à quel prix ! Pour convaincre, Rousseau imagine quelles pourraient être les conséquences de l'ouverture d'une salle sur d'innocents et de simples montagnards : relâchement du travail, augmentation des impôts, introduction du luxe dans une existence jusqu'alors frappée du sceau de la simplicité, et par conséquent nouvelles dépenses...

Plus fondamentalement le théâtre encouragerait ceux-ci, qu'il appelle « Montagnons », à céder au *Paraître,* permettant ainsi à l'amour-propre de se développer, lequel joue un rôle moteur dans l'accroissement des inégalités. Rousseau n'oublie pas, en effet, qu'on se rend au XVIIIe siècle au théâtre moins pour voir que pour être vu :

> « Les femmes des Montagnons allant, d'abord pour voir, et ensuite pour être vues, voudront être parées ; elles voudront l'être avec distinction. »

Le théâtre enclenche donc un processus de décomposition sociale qu'accomplissent le progrès du luxe et la religion du Paraître.

Le spectacle éloigne donc le citoyen de ce qu'il est, il fait même du spectateur un comédien, coupable alors de jouer un rôle social et de se livrer à son tour à cet odieux « trafic de soi-même » qui caractérise, selon Rousseau, la profession d'acteur.

La lettre s'achève à la fois sur cette ultime indignation portée sur le statut du comédien mais aussi sur la vibrante défense d'une authentique réjouissance civique, la fête publique :

> « Plantez au milieu d'une place un piquet couronné de fleurs, rassemblez-y le peuple, et vous aurez une fête. Faites mieux encore : donnez les spectateurs en spectacle ; rendez-les acteurs eux-mêmes ; faites que chacun se voie et s'aime dans les autres, afin que tous en soient mieux unis. »

Actualiser

Tout n'est-il que spectacle ?

Dans une page célèbre de *L'Etre et le Néant* Jean-Paul Sartre analyse le « jeu » d'un garçon de café qui « stylise » ses gestes, transformant son lieu de travail en une véritable scène. Ainsi la vie professionnelle impose des rôles, c'est-à-dire des attitudes, des comportements, des répliques plus ou moins implicitement fixés à l'avance. A l'instar du garçon de café de Sartre, nous « jouons » le rôle pour préserver notre liberté, signifiant par ce **jeu** que nous n'adhérons pas à ces attitudes réglées par la fonction que nous occupons. Le jeu est subtil, c'est un geste un peu trop mécanique, une phrase trop appuyée, un sourire ostensiblement « commercial ».

Mais la famille n'échappe pas davantage à la distribution des rôles. Il est convenu que le père assurera les signes extérieurs de l'autorité, que la mère sera plus compréhensive à l'égard des enfants, etc. Cette distribution des rôles est liée à une sorte d'inertie sociale, mais elle n'en demeure pas moins ancrée profondément dans les esprits au point que d'une femme qui prend le rôle dévolu à son compagnon on dira qu'elle « porte la culotte » (comme on revêt un costume de théâtre).

Plus généralement, on a observé qu'**au sein d'un groupe une répartition des rôles se fait spontanément.** Les chercheurs de Palo Alto, dans le cadre d'études portant sur la « dynamique des groupes », ont ainsi montré qu'il se trouvait toujours au sein de tout groupe humain quelqu'un pour assumer le rôle du chef, celui du pitre, celui du souffre-douleur, etc.

Il semble donc que ce soit la vie en société qui impose à chacun des rôles. Est-ce que la solitude ne permet pas d'échapper à cette comédie ? De fait, les enfants se passent très bien de public ou de la présence d'un tiers pour s'inventer consciemment ou non des rôles. Qu'ils jouent pour leur plaisir, ou que par insatisfaction ils s'inventent une nouvelle famille, réécrivant leur « roman familial », selon l'expression consacrée, ils peuplent leur solitude de rôles qu'ils endossent naturellement.

La psychanalyse a montré que cette façon de vivre à côté de la réalité n'était pas le propre des enfants. De la simple mauvaise foi de celui qui ne s'avoue pas à lui-même ses échecs à la psychose, l'éventail est large.

Torturer à loisir

Le travail n'a rien d'humain, c'est du moins ce que pensaient les Grecs du monde antique qui le réservaient aux bêtes et aux esclaves, c'est-à-dire à ces créatures que leur nature enchaînait à la nécessité, celle d'user de leur corps pour subsister. De fait, Hésiode dans *Les travaux et les jours* distingue ce que nous appelons le travail *(ponos)*, un mal surgi de la boîte de Pandore pour châtier les hommes, de l'œuvre *(ergon)*, encouragée par Eris, déesse de la compétition et de la rivalité. Par le travail l'homme signale sa servitude, dans l'œuvre il manifeste sa liberté.

L'étymologie du mot rappelle cette dévaluation ancienne du travail. En effet, lorsqu'un latin utilisait le mot *tripalium*, dont dérive notre *travail*, il désignait un instrument de torture. Composé de trois pointes *(tri)*, l'engin servait à empaler *(paliare)* les condamnés. *Tripaliare* se traduit donc par *torturer, supplicier*. Ce sens est maintenu dans des expressions spécialisées du type « travailler un métal ».

Il faudra attendre le renversement des valeurs accompli par la modernité pour que le travail perde toute trace de cette fâcheuse connotation.

Composer

Faut-il travailler pour être humain ?

▶ **Le travail n'humanise pas seulement la Nature indifférente aux besoins des hommes...**
Le travail dans l'Antiquité marque un **asservissement de l'homme à la nécessité,** c'est une servitude qui l'enchaîne à la nature par le besoin et qui, par conséquent, ne peut convenir à l'homme libre. Aux yeux d'un Grec « homme libre » est un pléonasme, partant on comprend qu'il ne faut surtout pas travailler pour être humain ! Le travail est un châtiment des dieux destiné à punir *l'hybris* (l'excès de confiance) des hommes pour qui Prométhée avait dérobé la foudre et la technique. Les Grecs trouvent alors la parade : l'esclavage.

Que fait donc l'esclave qui travaille ? Qu'est-ce que ce travail, tout simplement, auquel le soumet son maître ? Le travail apparaît comme cette action de l'homme sur la Nature grâce à laquelle des objets naturels sont transformés en vue d'un usage humain ou bien en vue de leur consommation. Par le travail l'homme « humanise » la Nature au sens où il l'aménage, il en fait son « milieu », c'est-à-dire qu'il la dispose à répondre à ses besoins. La nature, grâce au travail des hommes, devient le moyen du développement de l'espèce et du confort nécessaire à ce développement.

C'est que **la Nature ne répond pas spontanément aux besoins des hommes.** L'image de la mère nourricière que chérit Rousseau ne convient guère. Car si la mère **donne** à l'enfant le lait dont il a besoin, l'homme dans la nature doit **puiser** son eau. « Sa peine a tiré cette eau — argumente J. Locke dans le *Traité du gouvernement civil* —, pour ainsi dire, des mains de la Nature, entre lesquelles elle était commune et appartenait également à tous ses enfants et l'a appropriée à la personne qui l'a puisée. » Le travail est bien un acte d'appropriation. Mais cette action n'est-elle pas si pénible qu'elle finit par déposséder, en retour, l'homme de son humanité ?

► **... il permet à l'homme de se créer.**

On est conduit à **distinguer alors le savoir-faire de la pure force de travail.** Si le travail est cette confrontation de l'homme avec la Nature, qui réclame du premier à la fois réflexion et habileté pour résoudre les difficultés que la présence inerte de la seconde suscite, alors l'homme se crée par le travail. En modifiant son milieu, il se modifie lui-même en ce qu'il est conduit à découvrir en lui des ressources physiques et intellectuelles qu'il ne soupçonnait pas. Ce travail fait de science et de technique autant que de force et de peine humanise l'homme. Il faut travailler pour être humain parce que le travail est le moyen par lequel l'homme réalise sa nature perfectible. L'homme est davantage un *animal laborans* qu'un *animal rationale.*

Mais **encore faut-il que ce travail-là soit celui de l'artisan** qui conçoit le geste et l'outil de son action sur la nature. La division du travail qu'impose la société industrielle — et qui l'a également rendu possible — permet de vendre et d'acheter désormais non plus un savoir-faire, une « technique » de transformation de la Nature, mais une simple force de travail.

Le travail réduit à la force ramène alors l'homme au rang de l'animal. Ceux dont le travail se limite à l'exercice d'une force physique toujours appliquée de manière identique, Marx les appelle « prolétaires ». La fatigue qui résulte de cette répétition de l'effort et le caractère absurde d'une tâche dont on ne perçoit pas la signification font du travailleur une bête de somme, attachée à son travail par le simple besoin d'assurer sa subsistance. Le travail devient alors l'instrument de la négation de l'humanité de l'homme.

S'il faut travailler pour être humain, c'est seulement quand ce travail libère, or :

> « Le domaine de la liberté ne commence que lorsque cesse le travail déterminé par le besoin et l'utilité extérieure. »
>
> K. Marx, *Le capital.*

Approfondir

La Genèse

« Le sol sera maudit à cause de toi.
C'est à force de peine que tu en tireras
Ta nourriture tous les jours de ta vie,
Il te produira des épines et des ronces,
Et du mangeras l'herbe des champs.
C'est à la sueur de ton visage que tu mangeras ton pain
Jusqu'à ce que tu retournes à la terre, d'où tu as été pris
Car tu es poussière et tu retourneras à la poussière. »

Genèse, III, 19.

Le travail est la conséquence du péché originel, c'est la punition qu'inflige le Créateur à sa créature pour lui avoir désobéi. Le texte biblique est bien connu, il mérite toutefois une lecture précise car on y décèlera des indications essentielles à la compréhension de la condition humaine.

La *Genèse* rappelle d'abord que l'activité laborieuse est un châtiment, une peine et qu'il n'y a pas de travail qui ne fasse souffrir : « à force de peine », « des épines et des ronces », « à la sueur de ton visage ». C'est dire qu'il n'y a guère de travail digne de nom qui ne soit douloureux ; qu'est-ce qu'un « travail plaisant » sinon un divertissement ? Un « travail facile » sinon une occupation ?

Mais ce travail nécessairement pénible est aussi un acte de résistance et particulièrement un acte de résistance à l'anéantissement. Le créateur qui s'adresse à Adam (la terre glaise en hébreu, *adhama*) lui apprend son origine « matérielle » et le condamne à subir le retour à cette origine — la poussière — qui lui retire toute dimension spirituelle. Il lui donne cependant le moyen de retarder l'échéance, c'est bien le travail, action par laquelle Adam pourra combattre contre son anéantissement dans la matière, tenter de se maintenir à distance de la poussière dont il est originaire. Ainsi, le travail apparaît comme la seule défense dont l'Homme dispose pour entretenir et préserver ce qui en lui est esprit. Dans cette lutte contre la matière, l'Homme va découvrir sa dimension spirituelle... Hegel n'a rien inventé.

Enfin, le travail, châtiment ou acte de résistance, est un commandement divin. Cela il ne faut évidemment par l'oublier ou le négliger. Sous une forme extrêmement dégradée la créature continue de ressembler à son créateur en ce qu'il informe la matière dans laquelle la chute du Paradis l'a jeté. Par conséquent, chercher à se soustraire au travail, refuser de travailler, c'est désobéir à nouveau à la Divinité, risquer encore de l'offenser. On comprend comment les puritains anglo-saxons ont su faire de la lecture de cet extrait de la *Genèse* le principe d'une valorisation du travail, essentielle à l'essor du capitalisme en Occident et dont Max Weber analyse le mécanisme dans *L'Ethique protestante et l'esprit du capitalisme*.

A c t u a l i s e r

Le travail de la modernité

Dans un pamphlet brillant intitulé *Le Droit à la paresse. Réfutation du droit au travail de 1848,* Paul Lafargue que son mariage avec Laura Marx rendit peut-être plus célèbre que son engagement politique au côté du Parti ouvrier guesdiste, s'insurgeait déjà contre cette aberration qui poussait la classe ouvrière à lutter pour défendre le travail et non pour réclamer son extinction progressive.

> « Une étrange folie possède les classes ouvrières des nations où règne la civilisation capitaliste. Cette folie traîne à sa suite des misères individuelles et sociales qui, depuis deux siècles, torturent la triste humanité. Cette folie est l'amour du travail, la passion moribonde du travail, poussée jusqu'à l'épuisement des forces vitales de l'individu et de sa progéniture. »

Ces lignes, publiées en 1880, trouvent aujourd'hui une sombre résonance. D'une fatalité, le travail est bien devenu un privilège et fait l'objet de luttes âpres de la part des travailleurs, des syndicats mais aussi des gouvernements occidentaux. La France, avec 11,8 % de sa population active au chômage, semble être entrée dans une crise profonde et durable. Et cela d'autant plus que la rareté relative du travail contribue à le sacraliser davantage et par conséquent à attiser le sentiment d'exclusion qu'éprouvent ceux qui en sont privés.

Quelle puissance malfaisante provoque le chômage? La mauvaise gestion du patronat et du gouvernement qui conduit le premier à des licenciements sur lesquels le second ferme pudiquement les yeux? En réalité, c'est à une trop bonne gestion et une trop grande rationalisation du travail que l'on se trouve confronté. Par souci d'accroître leur productivité les Occidentaux ont engagé un processus de modernisation de leurs outils de production, avec une efficacité inespérée. Conséquence : les emplois deviennent de moins en moins nécessaires au fonctionnement de l'entreprise. Le travail de la modernité a pour effet de perturber la répartition traditionnelle des emplois du « secteur productif » vers le secteur de la consommation de masse et les industries culturelles. Le sociologue Alain Touraine dresse ainsi le bilan de l'économie française : celle-ci est structurée en trois secteurs principaux. Le domaine de la technologie de pointe qui dynamise l'économie en la rendant compétitive. Mais ce secteur emploie un nombre de plus en plus restreint de travailleurs dont le niveau de qualification augmente chaque année. Ce premier secteur génère de la richesse mais peu d'emplois. Le second domaine est celui de la consommation de masse, c'est un secteur qui réclame peu de qualifications mais dont la bonne ou la mauvaise santé dépend de l'efficacité et des profits du premier secteur technologique. Le troisième secteur est en véritable expansion et crée des emplois à la fois nombreux et qualifiés, il s'agit de ce que l'on appelle désormais les industries culturelles (éducation, santé, etc.). Notre société doit prendre conscience de cette nouvelle tripartition et de ses véritables caractères. C'est vers le second et le troisième secteur qu'il faut à présent massivement orienter l'emploi, peu qualifié pour la consommation, plus exigeant pour les industries culturelles, et remettre en question les typologies héritées du passé (agriculture, industrie, services).

Vieux étudiants, jeunes retraités

Avec le Temps... tout s'estompe, y compris le sens de l'opposition vieux-jeunes, appelée naguère « conflit des générations » et constituée sur le schéma simpliste : vieux conformistes contre jeunes rebelles.

Qui se sent encore vieux aujourd'hui ? Il semble en effet qu'il faille atteindre désormais le grabat, symbole d'un vieillissement à son stade ultime, pour qu'on accepte son âge, dit alors du quatrième type !

Bien sûr avec l'existence que les conditions de vie modernes prolongent, les manifestations physiques de la sénilité reculent... Belle évidence que celle qui nous rappelle qu'à 45 ans Louis VII était considéré comme un vieillard, que l'absence d'héritier mâle désespérait le Royaume et que la naissance de Philippe-Auguste fut ressentie comme un miracle. Nul quadragénaire nouveau père ne se voit aujourd'hui comme une exception biologique. Les vieux d'hier sont les jeunes d'aujourd'hui.

Mais les repères de naguère sont également perturbés du fait d'une évolution des mœurs qui place les individus en décalage par rapport à ce que l'on appelle « la vie active ». Les « jeunes » sont de plus en plus « vieux » : les études qui sont plus longues, la peur du chômage et par conséquent le désir de retarder le plus longtemps possible l'entrée dans le « monde du travail » maintiennent chez leurs parents des jeunes qui ne sont plus « en âge » d'être ainsi protégés. Quant « aux vieux », ils sont de plus en plus jeunes : les départs à la retraite anticipés font des « inactifs » très actifs. Entre un vieil étudiant de 30 ans et un jeune retraité de 55 ans, c'est à peine vingt-cinq années qui se sont écoulées. Par un renversement peut-être inquiétant le premier aura parfois le sentiment d'avoir perdu une jeunesse retrouvée par le second !

Composer

Les Anciens ont-ils encore quelque chose à nous apprendre ?

► **Si aujourd'hui...**

Que valent pour nous les conseils des générations précédentes ? Les Vieux sont-ils encore nos Sages ? Le processus de « dégéronto-cratisation » que le sociologue E. Morin voyait à l'œuvre dans la société française des années soixante *(L'esprit du temps)* s'est-il accusé ?

De fait, la perturbation des catégories jeune/vieux caractéristique de notre époque (voir « Définir ») dissout l'autorité du vieillard et tend à éliminer le modèle du vieux sage que l'on vient régulièrement consulter. Très significativement, le débat sur « l'âge du capitaine » se trouve réactivé sitôt qu'un septuagénaire accède au pouvoir suprême. On se méfie désormais d'une trop longue expérience qui paradoxalement viendrait à couper des réalités. Les momies effraient, elles évoquent un état archaïque du Pouvoir : à présent les systèmes politiques semblent porter l'âge de leurs inspirateurs. La Chine, l'Empire soviétique, l'Europe des totalitarismes... Hindenburg, Pétain et Brejnev peuplent les cauchemars de l'Histoire. Le gâtisme se laisse voir à travers la sagesse. Les vieux ne sont plus de notre temps : « L'adolescence surgit en tant que classe d'âge dans la civilisation du XXᵉ siècle », écrivait Morin en 1962.

► **... les Anciens n'ont plus rien à apprendre aux Modernes...**

La question mérite toutefois une réponse plus précise que le simple constat d'une évolution des mentalités. Pourquoi, brusquement, le vieil homme a-t-il perdu de sa sagesse ? Sur quoi fonder cette certitude qu'il n'a plus rien à nous apprendre ? C'est Corneille qui le premier, dans le contexte de la querelle des Anciens et des Modernes, osa aventurer un début d'explication.

En effet, *Le Cid* pose cruellement la question de l'aptitude des Anciens à former les plus jeunes. Le drame éclate à la suite de la nomination du vieux Don Diègue au poste de « gouverneur du Prince de Castille ». A l'acte premier, scène trois, le Comte, d'une génération plus jeune, conteste sa capacité à enseigner le métier des armes et de la politique au Dauphin. Les Anciens n'ont rien à nous apprendre, dit-il. La réplique de Don Diègue est conventionnelle :

> « Pour s'instruire d'exemple, en dépit de l'envie,
> Il lira seulement l'histoire de ma vie. »

C'est la vertu de l'exemple qui semble à nouveau convoquée. Lis ma vie comme tu lirais les textes de Sophocle ou de Pindare... L'Ancien se donne en modèle, c'est dire qu'il s'offre à l'imitation, laquelle trouve sa justification dans l'éclat des réussites passées. Ce droit à enseigner aux générations futures, Don Diègue l'a gagné par ses victimes de jadis. Il le dit :

> « Qui l'a gagné sur vous l'avait mieux mérité. »

On appréciera l'accompli du présent, ce passé composé qui exprime un état révolu de l'action : le mérite est acquis une fois pour toutes. Mais l'Histoire souffre-t-elle le définitif ? La réponse du Comte ne se fait guère attendre :

> « Qui peut mieux l'exercer en est bien le plus digne. »

Le pouvoir s'exerce, il se vit au présent, il est nécessairement manifeste... Telle est la leçon de modernité politique donnée au siècle précédent par Machiavel. Don Diègue s'en rendra compte au cours de la scène suivante : en politique, le souvenir ne saurait être que « cruel » (« O cruel souvenir de ma gloire passée »). Rodrigue sera investi de la mission d'infliger au Comte les principes dont il se réclame :

> « Je suis jeune, il est vrai ; mais aux âmes bien nées
> La *valeur* n'attend point le nombre des années. »

Et c'est bien de valeur dont il est question !

▶ **... c'est que le présent paraît être le seul moyen d'accéder au vrai.**

Anciens et Modernes n'ont effectivement pas les mêmes valeurs.

Pour les premiers l'accès à la vérité ne peut être trouvé que dans l'étude du passé parce qu'elle immobilise les connaissances. Pour les seconds la vérité de l'instant conduit à cet absolu de l'adéquation entre une conscience et le monde où elle surgit. Tout change, tout coule désormais... Le mouvement semble être la seule et unique certitude qu'il convient d'établir. Rodrigue se caractérise en effet par sa soumission au présent, aux accidents de sa vie privée (il faut combattre le père de celle qu'il aime) comme à ceux de l'Histoire. (L'heure de la reconquête du Royaume sur les Maures a sonné.) Il n'a rien à apprendre de ses Pères ; c'est dans l'opportunité de l'instant qu'il se trouve lui-même comme il découvre le sens présent de l'Histoire. Les dernières paroles que lui adresse le monarque sont à cet égard éclairantes :

« Laisse faire le temps, ta vaillance et ton Roi. »

C'est dire « trouve dans l'affirmation de ta propre temporalité la nature de ta singularité et celle du monde auquel tu appartiens. »

Approfondir

Fin de partie
SAMUEL BECKETT (1957)

L'œuvre dramatique de Beckett a ceci de commun avec celle de Ionesco, par exemple, qu'elle s'efforce de rendre sensible (grâce à la clôture de l'espace scénique et aux limites qu'impose la durée de la représentation) l'action corrosive du temps sur les corps. **Qu'est-ce que vieillir ?** Se laisser peu à peu enfoncer dans la matière *(Oh les beaux jours)*... Constater une dégradation de ses facultés motrices et de ses pouvoirs *(Fin de partie)*... Vieillir c'est diminuer, glisser dans les choses (réification) ou se défaire dans le néant qu'ouvre dans le corps qui vieillit chacune des petites amputations quotidiennes que le temps inflige.

Fin de partie, parce qu'elle met en scène trois générations, illustre cruellement cette fatalité (à l'instar des tragédies grecques, tout est joué d'avance lorsque le spectacle débute. Les premiers mots prononcés par Clov, *le regard fixe et d'une voix blanche* sont significatifs : « Fini, c'est fini, ça va finir... »). Il y a donc le fils adoptif, Clov, qui commence à ressentir des faiblesses articulatoires dans les jambes ; Hamm, le père, paralysé et aveugle dans son fauteuil roulant ; Nel et Nagg enfin, les grands-parents amputés des deux jambes et qui vivent dans deux poubelles, ensablées comme des litières pour animaux. La violence de la représentation est accusée encore par la dégradation du discours des uns et des autres : Nagg ne cesse de geindre pour obtenir sa bouillie, Hamm de manière obsessionnelle réclame de son fils qu'il le place bien au centre de la pièce, quant à Clov il n'hésite pas à formuler ses désirs parricides. (« Si je pouvais le tuer, je mourrais content. »)

Ainsi enfermés dans la cellule de leur famille, ces personnages découvrent non seulement le vieillissement et la décrépitude, mais ils apprennent aussi l'angoisse de la déprise que le temps nous inflige. Hamm (la mutilation onomastique d'*hammer*, le marteau, signifie cette dépossession), naguère le centre de l'autorité, détenteur du véritable pouvoir, se trouve à présent impotent mais aussi impuissant. Le délire apparaît alors dans cet univers crépusculaire comme l'issue unique à ce huis-clos infernal où les relations de domination familiale, fondées sur l'habitude et la tradition, se délitent et ouvrent béantes toutes les frustrations et les mensonges d'un passé vécu tragiquement en commun.

Actualiser

Vieille France...

La population française vieillit. Quelques chiffres suffisent à mesurer l'ampleur et la continuité du phénomène : en 1985, les plus de 60 ans représentaient 18,1 % de la population, en 2000 on estime que le pourcentage sera de 20,4 %, pour atteindre les 26 % en 2020. L'évolution pourrait être rassurante, une France assagie où désormais le poids de l'expérience pèse de façon sensible... or, elle fait peur, voire elle terrifie.

Qui a peur des « personnes âgées » et pourquoi ?

Dans un monde guidé avant tout par des préoccupations économiques, c'est le retraité qui évidemment inquiète ! Car au-delà de l'an 2000 le déséquilibre entre actifs et inactifs ne laissera guère de soulever de vrais problèmes. On le sait, le système de paiement des retraites fonctionne sur le mode de la solidarité. Ce sont les cotisations prélevées sur les salaires des actifs qui sont immédiatement versées aux retraités. Le système a l'avantage d'échapper à l'érosion liée à l'inflation mais il ne tient que si les actifs sont nombreux et confiants (certains, par exemple, de bénéficier à leur tour d'un régime identique). Or le nombre et la confiance des cotisants s'amenuisent. Les solutions sont bien connues : allonger la durée minimum de la cotisation, augmenter les cotisations ou accepter une baisse significative du montant des retraites. La première hypothèse recueille le plus grand nombre de suffrages. Parallèlement, la méfiance progresse puisque plus de 40 % des Français aujourd'hui prévoient d'autres revenus pour compléter leur future retraite.

On le remarque l'effet de la crise démographique conjugué avec celui de la récession économique fait découvrir aux Français qu'ils seront inégaux devant la retraite. Cette inégalité des générations menace de raviver le sentiment qu'il existe un « fossé » entre les différentes tranches d'âge... Ce que les progrès sociaux récents étaient parvenu à estomper, la réalité de la vie économique le creusera-t-elle à nouveau ?

Or, il serait particulièrement maladroit de considérer les retraités comme un « poids mort » dans la vie économique du pays : les revenus moyens par unité de consommation des ménages de retraités dépassent désormais ceux des actifs. De fait, ces retraites qui sont versées aux « inactifs » par les « actifs » sont rapidement remises en circulation. Le poids économique, en termes cette fois-ci dynamiques, des plus de 60 ans est devenu essentiel. Parce qu'ils ont les moyens de consommer davantage, les retraités participent grandement à la vie économique et contribuent évidemment à maintenir l'emploi... des actifs !

Lexique des termes utiles
qui ne font pas l'objet d'une définition particulière
au cours de l'ouvrage

Absolutisme. Régime dans lequel le souverain a un pouvoir absolu, c'est-à-dire un pouvoir totalement indépendant, détaché *(ab-solutus)*. Voir *Despotisme.*

Agressivité. Caractère de celui qui recherche le combat. Freud y voit la manifestation d'un instinct de mort. Les Modernes tendent au contraire à la valoriser sous l'aspect du vouloir-vivre. (Du latin *agredior :* avancer.) Voir *Sauvage.*

Aliénation. Renonciation d'un droit de propriété en faveur d'un tiers. Chez Hegel l'aliénation *(Entfremdung),* c'est tout simplement l'action de devenir un autre. Pour Marx, il s'agit de l'état de celui que ses conditions d'existence matérielle dépossèdent de lui-même. Voir *Travail.*

Altruisme. Le mot est créé par A. Comte, il désigne l'attitude de celui qui s'intéresse aux autres. Antonymie : égoïsme. Voir *Individu.*

Anarchie. Absence d'ordre ou de commandement. Voir *Etat.*

Anarchisme. Doctrine qui refuse toute forme d'autorité sur l'individu. C'est particulièrement l'Etat qui est visé. Voir *Etat.*

Anomie. Absence de lois *(nomos,* en grec). Désigne un état de complète désorganisation. Voir *Droit.*

Apologie. Défense, en grec. L'apologie de Socrate rapporte la défense apportée par Socrate lors de son procès en 399 av. J.-C. Voir *Châtiment.*

Aristocratie. Régime dans lequel ceux qui détiennent le pouvoir se disent être les meilleurs. Voir *République.*

Assimiler. Rendre semblable *(similis,* en latin). Voir *Individu.*

Autarcie. Du grec *autarkeia* qui désigne l'état de celui qui se suffit *(arkei)* à lui-même *(autos).* Voir *Société civile*

Autocrate. Qui commande *(Kratei)* lui-même *(autos).* Voir *Despotisme.*

Autonome. Celui qui se donne lui-même *(autos)* ses propres lois *(nomos).* Voir *Démocratie.*

Charisme. Don exceptionnel, d'ordre surnaturel. On retrouve la même racine dans le mot « eucharistie », action de grâce. La *charis* en grec signifie la faveur. Voir *Autorité.*

Clan. Du gaélique *clann,* famille. Le mot est utilisé par les sociologues pour désigner la forme la plus primitive d'organisation de la société. Voir *Famille.*

Communauté. S'oppose à la société en ce qu'elle suppose de s'imposer à l'individu indépendamment de sa volonté. La société procède, par contre, d'un contrat. Voir *Société civile.*

Convention. *Con-venire,* « venir avec », fait de la convention l'acte par lequel on s'accorde, on s'assemble. L'Assemblée nationale prend d'ailleurs de 1792 à 1795 le nom de *Convention nationale.* Voir *Nation.*

Dogme. Doctrine. Dogmatique se dit avec une nuance péjorative pour désigner l'attitude de celui qui admet et impose l'autorité d'une doctrine. Voir *Education.*

Economie. L'*oikunomia,* c'est l'administration (*nomos,* la loi) de la maison (*oikos*). L'économie est par définition d'abord *domestique.* Voir *Société civile.*

Election. Action de choisir *(eligere).* Voir *Démocratie.*

Equité. La notion renvoie à la conformité non à la justice mais à l'idéal de justice. Voir *Châtiment.*

Etatisme. Philosophie politique consistant à remettre en état toutes les fonctions de régulation sociale. Voir *Etat.*

Ethnie. Peuple. Voir *Racisme*

Ethologie. Science des coutumes et mœurs qu'étudient les ethnologues. Voir *Ethique.*

Eudémonisme. Doctrine qui affirme que la moralité consiste dans la recherche du bonheur *(eudaimonia).* Voir *Bonheur.*

Génocide. Extermination (*caedere,* tailler en pièces) d'une race *(genos).* Voir *Racisme.*

Harmonie. Du grec *armos* qui signifie « rangée », « ligne de bataille ». Accord des parties qui forment ainsi un tout. Voir *Etat.*

Hédonisme. Doctrine selon laquelle la recherche du plaisir est un absolu. Voir *Matérialisme.*

Instinct. L'*instinctus,* c'est l'impulsion (du grec *stizein,* piquer). L'étymologie latine, elle-même dérivée du grec, permet de faire de l'instinct « la piqûre de la nature ». Voir *Sauvage. Education.*

Jugement. A proprement parler, il s'agit d'un acte de justice. Le mot appartient bien au vocabulaire juridique. Toutefois la philosophie use également du verbe *juger* dans l'acception particulière de l'action qui consiste à évaluer l'existence d'une chose ou bien la réalité d'un rapport entre deux objets de pensée. Voir *Droit.*

Laïc. *Laïkos* qualifie en grec ce qui appartient en propre au peuple *(laos)* et qui n'est donc pas sous la dépendance du clergé *(klêros).* Voir *Sacré.*

Licéïté. Caractère de ce qui est permis par la loi (*licet :* il est permis). Il s'agit bien sûr du substantif qui correspond à l'adjectif *licite.* Voir *Droit.*

Loisir. Construit également sur la forme verbale *licet,* ce verbe de l'ancien français devenu substantif, désigne donc le *temps* qu'il est permis d'utiliser librement. Voir *Travail.*

Monarchie. Gouvernement d'un seul. Voir *Démocratie.*

Motif. Du verbe latin *movere* (mouvoir). Ce qui explique un mouvement, c'est-à-dire une décision. Voir *Engagement.*

Oligarchie. Gouvernement de quelques-uns *(oligoi).* Le terme concurrence l'aristocratie, à cela près que les connotation sont pour l'oligarchie péjoratives. Voir *République.*

Optimisme. Doctrine selon laquelle le monde est le meilleur des mondes possibles. Elle refuse toute réalité au mal. Voir *Bonheur.*

Outil. Du verbe latin *uti,* se servir d'un outil, c'est ce dont l'homme peut se servir. Voir *Travail.*

Passion. Action de supporter, voire de souffrir. Du grec *pathos,* la souffrance. Voir *Histoire.*

Patrie. Le substantif dérive d'un qualificatif, *patrius,* qui appartient aux pères. La patrie, c'est elliptiquement la *terra patria,* la terre des pères. Voir *Nation.*

Profane. *Pro-fanum,* ce qui est devant le temple. Le profane se définit donc par référence au sacré. C'est ce qui est en dehors du sacré. Voir *Sacré.*

Règle. A nouveau l'étymologie qui éclaire le sens exact du mot. *Regere,* diriger en droite ligne, donne *regula,* nom attribué à l'instrument qui aide au tracé des droites. La règle est donc, *stricto sensu,* un instrument du Droit. Voir *Droit.*

Revendication. Le *vindex* latin, c'est le défenseur, le vengeur. Le préfixe *re-* renforce la valeur de l'acte par lequel justice et punition sont réclamées. Le mot appartient évidemment au vocabulaire juridique. Voir *Châtiment. Droit.*

Synarchie. Régime dans lequel le pouvoir *(arché)* est exercé simultanément par plusieurs individus *(sun,* avec). Voir *République.*

Tolérance. Du verbe latin *tolerare,* supporter. Tolérer ce n'est donc pas accepter avec facilité. La notion d'effort n'est effectivement pas absente de la charge sémantique du mot. Voir *Exclusion.*

Totalitarisme. Le pouvoir politique y monopolise l'ensemble des activités de l'Etat. Voir *Etat.*

Utopie. Mot forgé par Thomas More pour désigner une société idéale qui, par conséquent n'existe nulle part. Voir *Propriété.*

Imprimé en France
Imprimerie des Presses Universitaires de France
73, avenue Ronsard, 41100 Vendôme
Mai 1997 — N° 44 093

MAJOR

MALVILLE Patrick – Leçon littéraire sur les *Confessions* de Jean-Jacques Rousseau

NOUSCHI Marc – Temps forts du XXᵉ siècle

NOUSCHI Marc – Temps forts du XIXᵉ siècle

ORTEGA Olivier – La note de synthèse juridique à l'entrée à l'EFB, aux CRFPA et à l'ENM

PORTIER François – Documents for Civilization Studies of Great Britain and the English Speaking World

ROYER Pierre – Préparer et réussir Sciences Po Strasbourg

ROYER Pierre – Préparer et réussir les concours commerciaux : SESAME, VISA, ECCIP, ECE, MBA Institute...

SAINTE-LORETTE Patrick de, MARZÉ Jo – L'épreuve d'entretien aux concours (2ᵉ éd.)

SCHARFEN Herbert – Allemand, cinq cents fautes à éviter

TEULON Frédéric – L'État et le capitalisme au XXᵉ siècle

TEULON Frédéric – Croissance, crises et développement (3ᵉ éd.)

TEULON Frédéric – La nouvelle économie mondiale (2ᵉ éd. corrigée)

TEULON Frédéric (sous la direction de) – Dictionnaire d'histoire, économie, finance, géographie

TEULON Frédéric – Initiation à la micro-économie

TEULON Frédéric – Sociologie et histoire sociale

THORIS Gérard – La dissertation économique aux concours

TOUCHARD Patrice, BERMOND Christine, CABANEL Patrick, LEFEBVRE Maxime – Le siècle des excès de 1880 à nos jours (2ᵉ éd.)

TOUCHARD Patrice – La nouvelle économie mondiale en chiffres

TRAN VAN HIEP – Mathématiques. Formulaire (2ᵉ éd. refondue)

TRAN VAN HIEP – Morceaux choisis de l'oral de mathématiques

TRAN VAN HIEP – Algèbre

TRAN VAN HIEP – Cours d'algèbre, 1ʳᵉ et 2ᵉ années, voie scientifique

TRAN VAN HIEP – Analyse